閱讀新視界・生活新主張

閱讀新視界・生活新主張

閱讀新視界・生活新主張

閱讀新視界・生活新主張

歷史經典八

唐浩明 著

曾國藩黑雨

卷(二)

出版者序

「曾國藩」一書分血祭、野焚、黑雨三卷，是一部百餘萬字的長篇歷史小說。作者唐浩明先生研究清史十餘年，蒐集的資料堆滿家中書房，對曾國藩及太平天國歷史的考究尤爲深刻。作者以輕鬆的筆調，用小說的方式撰寫此書，內容符合史實，其中人物的刻畫與描寫，生動而傳神，充分發揮了作者的文學才華與史學功力。

此書以曾國藩爲主軸，寫他治軍行事的用人方針，也寫他的處世哲學與人生觀，以清末衆多的歷史人物如朝中大臣——如胡林翼、左宗棠、李鴻章……等爲軸，交織此一長篇鉅著，書中情節的發展，絲絲入扣，能吸引讀者不斷產生興趣，愛不釋卷。

曾國藩是影響清末歷史的一位重要人物，他創造湘軍，以捍衞孔孟名教爲號召，弭平洪揚。其立身行事，爲後代諸多知名人氏所推崇。但作者也藉書中人物表達了歷年來人們的另一種觀點：曾國藩平定太平天國後，囿於忠君敬上，保全已身之小節，白剪羽翼，裁撤二十萬湘軍，無視滿清腐敗、生靈塗炭、救國救民之大義，辜負億萬百姓期望驅除羶腥，恢復神州之熱望，徒讓史册留下一樁憾事。當然，對歷史的評價，有見仁見智之看法，端視讀者從何種角度去研判！或許當讀者閱覽此書時，對書中之主角會有不同之評論。

此書在大陸出版時，曾造成搶購熱潮，本公司取得台灣版權後，以繁體字印行，也引起熱烈回響。今再版出書，又經細校，期望達到無錯字的地步，或仍有疏漏，尚祈讀者不吝指正。

胡明威

曾國藩血祭、野焚、黑雨簡介

曾國藩是中國近代史上有巨大影響的人物。從李鴻章、張之洞到袁世凱、蔣介石，無不對其頂禮膜拜，尊爲「聖哲」；從梁啓超、陳獨秀，到毛澤東，也無不表示推崇師法，毛澤東甚至說：「愚於近人，獨服曾文正，觀其收拾洪楊一役，完滿無缺。使以今人易其位，其能如彼之完滿乎？」簡直推崇備至。

本書是長篇歷史小說，作者唐浩明爲著名的曾國藩研究者，佔有大量珍貴歷史資料，並在史實的基礎上，對事件描述、情節細部作了恰當的虛構，使曾國藩這個長期被當代歷史忽略的重要人物，重現在讀者面前。

本書既寫曾國藩的文韜武略，也寫他的待人處世與生活態度。曾國藩制勝的兵法、治軍行政的方針，他獨特的人生觀、處世哲學，他的文化素養和人格品味等等，都在書中得到精采的體現。

本書氣魄恢宏，人物衆多，歷史事件交錯，既有金戈鐵馬浴血之戰，也有坐而論道的儒雅，既寫他的困厄與成功，也寫他的得寵與失寵，細節豐富，情景感人。

歷史小說難得，好的歷史小說更難得，好的長篇歷史小說更難得，讀畢此書，當有得益。

目錄

〈卷一〉

〈卷二〉

第四章　名毀津門

第七章　黑雨滂沱

第四章　名毀津門

一　靈谷寺內，曾國藩傳授古文秘訣

曾國藩鬱鬱回到江寧，自覺精力更衰弱了，原先一番整飭兩江的宏圖大願，被捻戰失利減去了大半。幕僚們紛紛反映，李鴻章一手荐拔的江蘇巡撫丁日昌受賄嚴重，甚至公開索賄。去年蘇松太道出缺，丁日昌通過僕人透出消息，誰送他端硯兩方，即可補授。有個多年候補道專門託人從端州買得兩塊好硯送上門。丁日昌看了看，笑著說：「端硯以斧柯山出的爲好，你這個還不行。」待那人眞的從斧柯山再弄兩方硯來時，蘇松太道已放了他人。走運的這個人腦子靈活，他知道所謂「端硯兩方」，其實就是「白銀兩萬」。幕僚們很氣憤：這樣公開賣官鬻爵的人，還能當巡撫？

曾國藩知丁日昌最受李鴻章賞識，而李鴻章賞識的又正是他的生財有道這一點。參劾丁日昌，就等於打擊李鴻章。此時正要李鴻章把河防之策堅持下去，取得捻戰勝利，爲自己洗去羞辱，還能去得罪他嗎？

蘇南豪門巨紳很多，經常抗租不交，歷任江督、蘇撫對他們都沒有辦法。前兩年，曾國藩挾削平太平天國之威，對豪門巨紳作了些限制，抗租氣焰有所斂。這次回來後，又發現一切依舊。

賣官的巡撫不能參劾，還談什麼懲治貪污的州縣？豪門不能壓制，還談什麼減漕均賦？這些都不能辦，還談什麼整飭兩江？曾國藩眞是心灰意懶了。接著，劉蓉、郭嵩燾、曾國荃次第去位，劉長佑的直隸總督又被官文取代，海內紛傳湘系人物當權的鼎盛時期已過，曾國藩愈加失意了。兩江之事本可責之於三省巡撫，於是，他除督促糧餉，支援捻戰前線外，其他的時間大部分用來讀書作文，不多過問政事。使他略感欣慰的是，在他的身邊有一批勤學上進、古文作得好的才子，其中尤以張裕釗、黎庶昌、吳汝綸、薛福成最爲突出。除張裕釗稍大些外，其他三人都只二十多歲，是正堪造就的璞玉渾金。孟子說得天下一英才而教之，是人生一大樂事，曾國藩也曾把它與高聲讀書、勞作而後憩息三者合稱爲人生三樂。他想，把這幾塊璞玉渾金琢治爲令器美具，亦是一大成績。

曾國藩悉心指導他們，將自己古文寫作的心得傳授給他們。他曾經感於桐城古文的衰落，有志於振興，後來側身戎間，無暇作爲，現在又老境漸侵，身心憔悴，看來靠自己的一人之力，是不能擔此重任的。正如捻戰的勝利要靠門生李鴻章一樣，桐城古文的復興也要靠門生輩了。昨天，他欣然讀到張裕釗送來的習作《北山獨遊記》，精神爲之一振。

張裕釗不爲山勢險峻所動，獨身登上北山，發出了「天下遼遠殊絕之境，非克蔽志而獨決於一往，不以倦而惑見懼而止者，有能諧其極者乎？」的感嘆。曾國藩讀後聯想到自己這大半年來不求銳意進取的精神狀態，也覺有愧。「後生可畏！」他心裏想。

正是初夏天氣，江寧郊外風景宜人。孝陵初步修復後尚未視察過，曾國藩決定明天帶著張裕釗、黎庶昌等人一同察看孝陵，同時藉遊山玩水的機會，給他們談談爲文之道。

孝陵是明太祖朱元璋和皇后馬氏的陵墓，在朝陽門外鍾山南麓。前幾年圍城時，這裏是激烈的戰場，陵寢周圍的建築毀損得很厲害。愛新覺羅氏從朱氏手裏奪取了皇位，表面上又對朱氏以禮遇。入北京後，順治爲崇禎舉行國葬。康熙、乾隆南巡時，都親往孝陵叩謁，還特設守陵監二員、四十陵戶，撥給司香田百畝。康熙還手書「治隆唐宋」四字，交與織造曹寅製匾懸於貢殿上。江寧城剛一收復，朝廷便命曾國荃親往孝陵致祭，並令盡快修復原貌。當時因經費支絀，孝陵修復工程只得往後挪。奉命北上前夕，曾國藩將此事交給了李鴻章。

李鴻章眞是能幹。一年多的時間裏，孝陵也算恢復得不錯了。因爲總督親來視察，今天的遊客都被遠遠地攔開。曾國藩帶著張、黎、吳、薛等人來到孝陵進口處，迎面而來的是一座高大的石坊，上刻「諸司官員下馬」六個大字。這就是俗稱的下馬坊。原已破碎成七八截，經過石工巧妙地修補，現在又豎起來了。粗粗看去，跟原貌差不多。曾國藩出了轎，張、黎、吳、薛等人也下了馬，步行在通往陵墓的神道上。

神道兩旁的石獸、翁仲已全找齊，並修復完好。這一路石獅、石獬豹、石槖駝、石麒麟、石馬、石武將、石文臣綿延二三里，氣勢極爲壯觀，再加上松柏掩映，道路整潔，一種開國帝王雍容偉壯的氣派充塞天地之間。曾國藩以及隨行者們無形間也受到感染，生出一股崇敬畏懼的情緒來。

神道的盡頭是享殿。這本是孝陵的主要建築之一。重檐九楹，殿前兩側原有廊廡數十間。另有神宮監和具服殿、宰牧亭、燎爐、雀池、水井等，大殿內有四十五間房子，奉有朱元璋和馬氏的神主。可惜這座堂皇的建築全部毀於兵火，僅存五十六個石柱礎。現在四周已堆積了許多木石沙灰。陪同一旁的負責修復陵墓的官員告訴曾國藩，這是爲重建享殿準備的，擬仿照長陵的模樣再建，現已派人去北京摹繪。最大的困難不在缺錢，而在於缺人才，沒有人敢承擔這個任務。曾國藩笑著說：「我的幕府中人才很多，就是沒有魯班。你們可以出個招賢榜，向普天下招賢，總會有今日魯班出來的。」那官員點頭稱是。

在享殿廢墟上站了一會，曾國藩一行穿過方城燧道，來到鍾山獨龍阜。這裏便是明太祖的地宮所在。盡管戰火瀰漫，周圍的古樹燒毀不少，但獨龍阜上依舊樹林茂盛，草木葳蕤。曾國藩佇立良久，嘆道：「到底是聖天子葬地，自有神靈庇祐！」張、黎等人也深以爲然。

曾國藩站在獨龍阜上，極目遠眺。但見鍾山氣勢飛騰，紫霧蒸蔚，四周地形既開闊又壯美，田園葱綠，水光瀲灩，一派勝景盡收眼底。心情抑鬱了很久的兩江總督，頓生一種俯視天下的氣慨，心裏再一次發出感慨：「這麼好的墓地，可謂天下無雙，朱洪武好眼力呀！」

孝陵的修復，曾國藩基本上是滿意的，他對監修的官員誇獎了兩句。那官員很是高興，討好地對曾國藩說：「大人，靈谷寺也已基本修好，請大人到那裏去視察一下，還可在寺內略爲休息休息。卑職即刻通知靈谷寺住持，叫他安排茶水伺候。」

察看孝陵半日，曾國藩已覺累了，且要談文，靈谷寺也的確是個好地方，便同意了。

當曾國藩一行坐轎乘馬來到寺門時，靈谷寺住持遠通法師已帶領闔寺五十餘僧衆在三門外迎接了。稍稍歇息後，遠通法師便陪著曾國藩查看修復後的寺院，並一路滔滔不絕地向總督大人介紹。

靈谷寺建於梁天監十三年，原名開善寺，唐代改稱寶公院，北宋大中祥符年間改稱太平興國寺，明初改爲蔣山寺，寺址在獨龍阜。那時江寧的蔣山寺與杭州中天竺的永祚寺、湖州的萬壽寺、蘇州的報恩光孝寺、奉化雪竇資聖寺、溫州的龍翔寺、福州雪峯崇聖寺、金華的寶林寺、蘇州虎丘靈岩寺、天台的國淸寺，並稱爲江南十大名刹。洪武十四年，明太祖親來鍾山選皇陵，看準了獨龍阜這塊風水寶地，遂命蔣山寺東遷。又將皇陵圈中的定林寺、宋熙寺、竹園寺、悟眞庵統統遷於此，合併爲靈谷寺。

遠通像一個破落戶誇耀富貴的先祖一樣，津津有味地告訴曾國藩，合併後的靈谷寺規模之宏大，使得江南無一寺廟可以與之相比。寺內的殿廡規制仿照大內修造，自三門至梵宮長達五里路。當中的主道，行人走在上面，能發出一種類似琵琶彈奏的響聲，鼓掌都可以使人隱約聽到琵琶弦在震動，故僧衆將它稱之爲琵琶街。

張裕釗聽了很覺稀奇。吳汝綸則悄悄地對薛福成說：「這老傢伙在吹牛皮。」

黎庶昌問遠通：「法師，你說的是眞的嗎？」

遠通立即雙手合十，念道：「阿彌陀佛，老衲明年就六十歲了，還能像年輕時那樣打誑語嗎？」

吳汝綸聽了，忍不住發笑，心想：這老和尙倒也直爽，一句話就露出了他年輕時好說假話的毛病，便問道：「老法師，這琵琶街現在還彈琵琶嗎？」

「早已不彈了。」

「它爲何又不彈了呢?」

「早在天啓年間,有一個臨產的婦人來到靈谷寺燒香,求菩薩保祐她生產順利。禱告完畢,她沿著琵琶街走出寺院,誰知走到半路就發作了,痛得在琵琶街上打滾。打了三個滾後,那婦人就在街上生下了一個又白又胖的男孩。菩薩保祐她生產順利,但把琵琶街汚壞了。從那以後,琵琶街就再聽不到琵琶聲了。」

衆人聽了這話,都哈哈大笑起來。曾國藩也微笑著,心裏說:「果然是個會打誑語的老和尚,不過倒也誑得可愛。」

見大家興致高,遠通越說越有勁。他又說,靈谷寺原有一個廣闊無邊的放生池,是明初一萬個民工整整鑿了一個月才鑿成,故又叫萬工池。還有無量殿、梅花塢、八功德水諸景。當時殿宇如雲,浮屠矗立,最盛時有一千個僧人。寺內萬松參天,一徑幽深,故又有靈谷深松之美稱。遠通非常得意地說,當年康熙爺,乾隆爺謁完孝陵後,都駐蹕靈谷寺,並留下宸翰。

「老法師,你剛才說八功德水是一種什麼水?」黎庶昌問。

「這八功德水有個來由。」遠通神氣活現地數著家珍,「梁天監十七年,有個西域胡僧來到鍾山紫霞洞修行。紫霞洞缺水，胡僧只得靠接天雨止渴。有一天，洞邊來了一個長鬚老叟，向胡僧討水喝。胡僧將水罐子遞給他。水罐子裏那半罐水還是胡僧在春天時接的，要靠它過炎熱三伏。老叟一口氣把半罐子水喝乾了，問胡僧心疼不？胡僧說：『接水有緣，喝水有緣。今日有緣，得遇山仙。』老叟驚問：『你怎麼知我是山仙？』胡僧說：『紫霞洞口有惡虎一隻，毒蛇一條，凡人豈可來到此地？』老叟笑道：『既然讓你識破，我當賠給你水。』老叟說罷，對著洞壁用手指猛力一鑽，鑽出一個小窟窿。霎時，小窟窿裏流出一條細細的水絲來。胡僧問：『山仙，你這水有什麼好處？』老叟說：『我這泉水有八德：一清，二冷，三香，四柔，五甘，六淨，七不饐，八蠲疴。』說罷化作一道清煙去了。靈谷寺的僧人聽說，便劈開楠竹，鋪成竹管道，將水引到寺裏來。」

「好哇，法師，你寺裏有這麼好的水，何不燒壺好茶招待我們！」吳汝綸高興地嚷道。

「老衲早已準備好了。」遠通笑咪咪地指著前方說，「就擺在無量殿裏。」

無量殿因供奉無量壽佛而得名，但一般人都叫它無樑殿。因爲這座建於明洪武十四年的長十五丈、寬九丈的大殿無樑無柱，無尺寸木頭，全是巨磚壘砌而成，實爲我國佛寺中罕見的建築。遠通法師將曾國藩一行引到無量殿，殿中已擺好了一桌茶點。楠木桌面上是一套精緻的茶具。遠通介紹，這是前代景德鎮官窯燒製的貢品，雖歷四百餘載，仍然胎白如雪，草青如生。大家拿在手裏細細觀摩。曾國藩想：這個號稱現在已不打誑語的老和尚，半日來都在打誑語，只有這一句話是眞的，這的確是一套不可多見的好茶具。

桌面當中擺了幾碟時鮮果品。遠通說，這些都是本寺的土產，尤其是青皮紅心蘿蔔，更是難得吃到。遠通邊說邊用小刀切開一個，果然蘿蔔心紅得鮮艷。遠通笑著說：「金陵紅心蘿蔔在江南數第一，靈谷寺的紅心蘿蔔在金陵數第一，這一碟又是靈谷寺裏蘿蔔中最好的。」

「那眞是天下第一囉！」吳汝綸笑著打趣。

「老衲想應當算得上天下第一。」遠通樂哈哈地笑道，精光的頭皮上泛起青亮的光彩。曾國藩突然發現，這法師其實長得一表人才，如果讓他穿上一品官服，會比自己更像一個大學士！

桌子旁邊立著一個小火爐，一把古色古香的宜興紫沙壺裏冒出縷縷水氣。遠通親自給每人斟了一杯茶。給吳汝綸斟茶時，特地鄭重對他說：「小先生，這是眞正的八功德水燒出來的。」又回過頭來笑著對曾國藩說：「大人在這裏寬坐，貧僧叫廚頭準備一頓好齋席，請大人嚐嚐。」

衆人品了一口茶，似乎覺得的確比城裏的茶水好喝些。「眞是個會享清福的和尚！」望著走遠了的靈谷寺住持，曾國藩從內心裏發出羨慕。

「你們說，我今天爲什麼要帶你們出來查看孝陵？」很久沒有離開督署了，今天到郊外走動走動，看了修繕一新的明孝陵，見了愛打誑語卻討人喜歡的和尚，又坐在如此清靜的寺院裏喝著閒茶，曾國藩心裏湧出一股多年未有的舒暢感，他笑著問正在專心品茶的年輕幕僚們，私下裏已經認張、黎、吳、薛爲及門弟子了。

四子面面相覷一陣，不知如何回答。吳汝綸一向活躍，他忍不住答道：「大人是叫我們休息一天，到鍾山來玩玩。」

曾國藩笑著搖搖頭。黎庶昌想了想說：「我知道了，大人布置我們下旬的作文題目是明孝陵論。」

「不對，應該是以孝治天下論。」薛福成忙糾正。

曾國藩笑著說：「算了，你們都猜不中，我今天請諸位出來，原是想來個鍾山談文，現在做了遠通和尚的客人，變成靈谷寺談文了。」

吳汝綸拍手笑道：「大人此舉太高雅了，今後一定是段文壇佳話。」

其他三子也都很興奮。

「昨天，廉卿送來一篇《北山獨遊記》，老夫讀了很覺有啓發。不獨文筆洗練，且用意高遠，眞正是一篇好文章。」

曾國藩從衣袖裏掏出張裕釗的作文，遞給黎庶昌。「你們每人先讀一遍，然後我們就從廉卿這篇文章談起。」

在黎庶昌等人閱讀的時候，曾國藩對張裕釗說：「我曾經說過，足下的文章近於柔，望多讀揚、韓之文，參以兩漢古賦而救其短。這篇遊記已不見往昔之柔弱，足下近來大有長進。」

「這都是大人指教的結果。」張裕釗恭敬回答。他生就一副厚重謹懿的模樣，加上花白的頭髮，四十三四歲的年紀，看起來像是過了五十的人一樣。曾國藩最看重的就是他的謹厚，知道即使這樣著意表揚他，他也不會驕傲，若是對吳汝綸、薛福成，便不能這樣稱讚了。

張裕釗的文章不到三百字，片刻光景，三人都瀏覽了一遍。黎庶昌誠懇地讚揚他寫得好，吳、薛也說好，但心裏並不太服氣。

「作文當以意爲主，辭副其意，氣舉其辭。廉卿這篇遊記，好就好在通過登山越嶺的記敘，闡述了天下遼遠之境的獲得，只屬於不以倦而惑且懼而止者。這正是程朱所講的格物致知。」曾國藩習慣地梳著長鬚，意味深長地說，「豈只是登山覽勝，學問、文章、事業，哪樣不是這樣啊！」

望著總督大人由一篇小文章生發出如此莊重的人生感嘆，不止是張裕釗、黎庶昌，就是心高氣傲的吳汝綸、薛福成也被感懾了。佛殿裏頓時安靜下來。

「當年老夫初進京師，僥倖入金馬門，然於學問文章，懵然不知。偶聞京師有工爲古文詩者，就而審之，乃桐城郎中姚鼐之緒論，其言誠有可取。遂展司馬遷、班固、杜甫、韓愈、歐陽修、曾鞏、王安石及方苞之作，悉心誦讀，其他六代之能詩文者及李白、蘇軾、黃庭堅之徒，亦皆泛其流而究其歸，然後開始爲詩古文。爾來三十年了。」無樑殿裏迴蕩著曾國藩的湘鄉官話，其音色之宏亮，聲調之悅耳，張裕釗等人似乎從沒有聽到過。「三十年來，只要軍務政務稍有空暇，老夫便究心古文之道，直到過天命之年，才頗識古人文章門徑。近來常有將心得寫出之意，然握管之時，不克殫精竭思，作成後總不稱意。安得摒去萬事，酣睡旬日，神完意適，然後作文一篇，以攄胸中奇趣。今日與諸位偷得一日之閒，聚會於清靜無爲之地，老夫欲學古之孔孟墨荀當年與門徒講學的形式，無拘無束地與諸位縱談爲文之得如何？」

這眞是太好了！張裕釗等人想：從曾大人學習古文多年了，胸中堆積著許多問題，總沒有機會一問究竟，難得他今天有這樣的雅興。

「請問大人，文章以何爲最先？」當大家都在緊張思考時，吳汝綸率先提出了第一個問題。

「文章以行氣爲第一義。」曾國藩以肯定的語氣回答，「韓昌黎曰氣盛則言之短長與聲之高下皆宜，老夫平生最愛文章有雄奇瑰偉之氣，古人有此氣者，以昌黎爲第一，子雲次之。二公之行氣，本之天授，後人難以企及，然可揣摹而學之。」

「請問大人，用字造句，以達到何種境地爲最佳?」黎庶昌問。

「無論古今大家，其下筆造句，總以珠圓玉潤四字爲主。」曾國藩應聲而答，略爲思考一下，他又作了補充，「世人論文字之說，圓而藻麗者莫如徐陵、庾信，而不知江淹、鮑照則更圓，進之沈約、任昉則亦圓，進之潘岳、陸機則亦圓，又進而溯之東漢之班固、張衡、崔駰、蔡邕則亦圓，又進而溯之西漢之賈誼、晁錯、匡衡、劉向則亦圓，至於司馬子長、司馬相如、揚子雲三人，可謂力趨險奧不求圓適，而細讀之，亦未始不圓，至於韓昌黎，其志意直欲凌駕長卿、子雲之上，戛戛獨造，力避圓熟，而久讀之，實無一字不圓，無一句不圓。於古人之文，若能從鮑、江、徐、庾四人之圓步步上溯，直窺卿、雲、馬、韓，則無不可讀之古文，也無不可通之經史。」

四子大受啓發，一齊點頭稱是。

「剛才講的是句子的圓潤，還有遺字的準確傳神。古人十分講究練字，有許多一字師的故事。比如齊己早梅詩『前村深雪裡，昨夜數枝開』，鄭谷改『數』爲『一』。張咏『獨恨太平無一事，江南閑殺老尚書』，蕭楚才改『恨』爲『幸』。程風衣『滿頭白髮來偏早，到手黃金去已多』，周白民改『到』作『信』。這些都是有名的一字師。另外如范文正公《嚴先生祠堂記》『先生之德，山高水長』，李泰伯改『德』，爲『風』。蘇東坡《富韓公神道碑》『公之勛在史官，德在生民，天子虛己聽公，西戎北狄，視公進退以爲輕重，然一趙濟能搖之』，張文潛改『能』爲『敢』。張虞山『南樓楚雨三更遠，春水吳江一夜增』，陳香泉『斜日一川映水山，秋峯萬點盆門西』，王漁洋分別改『增』爲『生』，改『峯』爲『山』。改的都是大家名家的字，都改得好。可見即使是大手筆，也有個千錘百煉提高的過程，何況一般人呢？除一字師外，還有半字師的故事，你們聽說過沒有？」

「沒有。」四子齊搖頭。

「昔乾隆龔煒，爲東海一閨秀改詠菊詩。詩云：『爲愛南山青翠色，東籬別染一枝花。』龔煒嫌『別』字硬，改爲『另』。人稱半字師。」

「大人，當年靖毅公病逝時，唐鶴九送的輓聯，大人爲他改了兩處，大家都說改得極好。」張裕釗插話。

「我改的倒也尋常，其實是唐鶴九的聯語寫得好。」曾國藩平淡地說。

「廉卿兄，你把這段典故說給我們聽聽吧！」薛福成入幕最晚，不知道這件事。

張裕釗望著曾國藩請示：「大人，卑職可以說嗎？」

「你說吧！」曾國藩輕輕點了一下頭。

「同治元年十一月，靖毅公染時疫，為國殉職於金陵城下，當時輓聯極多，也不乏佳者。唐鶴九先生有一聯是這樣寫的：『秀才肩半壁東南，方期一戰成功，挽回劫運；當世號滿門忠義，豈料三河灑淚，又隕台星。』大人看後說，寫得好是好，只是美中不足。大人提起筆來，將『成功』二字一轉，又改『灑淚』為『痛定』。頓時，大家都輕輕地叫好。』

「秀才肩半壁東南，方期一戰功成，挽回劫運；當世號滿門忠義，豈料三河痛定，又隕台星。」薛福成慢慢重複一遍，說，「果眞改得好極了！」

曾國藩平靜地聽著，無任何表示。

薛福成接著說：「請大人談談文章的布局。」

曾國藩喝了兩口茶，上下梳過幾次鬍鬚後，慢慢地說：「謀篇布局是作文一段最大功夫。《書經》《左傳》，每一篇空處較多，實處較少，旁面較多，正面較少。譬如精神注於眉宇目光，不可周身皆眉，四處皆目。文中線索如同蛛絲馬跡，絲不可過粗，跡不可太密。這是一種。古人文筆有云屬波委、官止而神行之象，其布局則有千岩萬壑、重巒復嶂之觀。此等文章以《莊子》爲最，將《莊子》好好讀上二三十遍，自然熟悉了。」

薛福成聽了這話，有一種茅塞頓開而豁然爽朗、聰明大張之感，深深佩服總督大人學問汪洋浩大，自己在他的面前，直有潺潺細流與長江大河之別。

「請問大人。」張裕釗在認眞思考之後，恭謹地問：「常見古人詩話中談到詩的氣象。卑職想，古文應該也有氣象，而究以何種氣象爲好呢？」

「這個問題提得好，說明廉卿這段時期來對古文的鑽研進入了一個較高的境界，即從字、句、段的思考上升到對全篇的思考。」曾國藩日漸昏花的三角眼裏射出讚賞的目光。

「古人以『氣象』二字來評詩，較早的可見於南宋初期周紫芝所著《竹坡詩話》。竹坡居士說鄭谷的『江上晚來堪畫處，漁人披得一蓑歸』之句，別人皆以爲奇絕，他以爲其氣象淺俗。後來《滄浪詩話》裏多次提到『氣象』，說唐人詩與宋人詩，先不談工拙，直是氣象不同；又說建安之作全在氣象，不可尋枝摘葉。其實不只是詩，文書、畫莫不如此。氣象，就是指面貌、神志。老夫以爲，文章之道，以氣象光明俊偉爲最難能可貴，如久雨而晴，登高山而望曠野，如登高樓俯視大江，獨坐明窗淨几之下而遠眺，又如英雄俠士裼裘而來，絕無齷齪猥鄙之態。此三者，皆光明俊偉之貌。文中有此氣象者，大抵得於天授，不盡關乎學術。自孟子、莊子、韓子而外，惟賈生及陸敬輿、蘇子瞻得此氣象最多，近世如王陽明亦殊磊，但文辭不如孟、莊、韓三子之跌宕。老夫以爲文章要達到這種地步，乃是最高的境界，很不容易做到，但應成爲我輩力求達到的目標。」

這一大段宏論，說得四子皆低頭不言，心中自覺慚愧。隔了好久，黎庶昌想起那年吳敏樹要跟曾國藩打官司的事，不知曾國藩心裏對這事究竟怎樣看，有沒有芥蒂，平時沒有機會問，今天可是個好機會。他笑著問：「關於桐城文派的事，吳南屏後來捐錢請大人給他除名了嗎？」

「南屏那人你還不知道！」曾國藩爽快地笑起來，「他是打死都不認輸的。後來的信中，他乾脆將姚鼐比之於呂居仁。這是他的性格，我也不計較。南屏不願在桐城諸君子灶下討飯吃，也稱得上我們湖南人中的豪傑。不過，以姚氏爲呂居仁之比，也貶之太甚了。老夫粗解文章，實由姚先生啓之。姚先生爲知言君子，只是才力薄弱，不足以發之耳。他的《古文辭類纂》一書，雖闌入劉海峯之文，稍涉私好，而大體上是站得住的。其序跋類淵源於《易・系辭》，詞賦類仿劉歆《七略》，則爲不刊之典。老夫鑒於姚先生所編，不選六經、諸子、史傳之文，雖另編《經史百家雜鈔》，但平心而論，姚先生之《類纂》要比老夫的《雜鈔》流傳得久遠。」

黎庶昌深以此言爲持平之論，並對曾國藩的心胸氣度看得更淸楚了。他正要請曾國藩再談談對桐城三祖的看法，吳汝綸又發問了：「大人，聽說您要寫一篇文章，提出古文的八字訣和四象說，能讓我們先知一二嗎？」

「你們四人，最數摯甫不安本分，不知又從哪裏刺探了老夫的機密。」就像老父親親暱地指責聰明靈泛的小兒子一樣，其實心裏很高興，他樂於向弟子們透露所探得的古文之驪珠。「老夫思考得尚不成熟，就大致說說吧。八字訣，即以雄、直、怪、麗爲古文陽剛美之特徵，以茹、遠、潔、適爲古文陰柔美之特徵。我還要仿照司空表聖的辦法，每個字下再給它以八個字的詳述。四象，即太陽爲氣勢，氣勢中又分噴薄之勢、跌宕之勢；少陽爲趣味，趣味中又有詼詭之趣、閑適之趣；太陰爲識度，識度有閎闊之度、含蓄之度；少陰即情韻，情韻有沈雄之韻、淒惻之韻。若精力好，下個月老夫將這篇文章完工，那時再聽聽諸位的意見。」

張裕釗說：「大人對古文的這個發現，將可與沈休文的四聲說相比！」

「你們看，對面有個傢伙在偸聽大人的天機！」吳汝綸神秘地指了指無樑殿外的小松樹林。

「誰？好大的狗膽，我去看看！」薛福成立即起身，衝出殿外剛走幾步，只見一隻兩尺多長的金毛松鼠，從松樹枝上跳躍著逃走了。

「原來是它！」黎庶昌、張裕釗大笑起來。曾國藩一時興起，笑道：「你們誰有本事逮住它，老夫放他一年假不作文章！」

張裕釗等人見曾國藩興趣這樣好，明知抓不到，都一齊向小松林衝去。

曾國藩背著雙手，情趣極高地看著他們在松樹林裏奔跑，口裏念道：「鷦鷯已翔乎九仞兮，羅者獨倚乎澤藪。」

「大人。」耳畔突然響起一個謙卑的聲音。曾國藩回頭看時，遠通法師已站在一旁，他的身後跟著一個十三四歲的小和尚。那小僧人兩眼怯生生地望著江寧城裏的頭號人物，雙手托著一個黑漆漆發亮的木盤，木盤上擺著一支大號羊毫，一方刷絲歙硯，兩卷水印硾箋。

「大人學問淵博，尤其聯語精妙，久爲貧僧欽敬，早就想求大人爲寒寺題一聯語，只是無緣。今日萬幸，貧僧恭請大人賜寶。」遠通說罷，雙手在胸口合十，深深一鞠躬。

曾國藩笑著說：「今日受法師款待，不容我不寫了。不過鄙人對佛法素無所知，題什麼好呢？」

曾國藩在無樑殿裏慢慢踱步。殿堂裏異常安靜，水氣沖著紫沙壺蓋輕輕地上下跳動，他凝視著茶壺，瞬時間有了。遂提起筆，分咐小和尚把硾箋展開。一會兒，水印紙上現出一個個勁崛的字來：

萬里神通，度海遙分功德水；

六朝都會，環山長護吉祥雲。

「見笑，見笑。」曾國藩把筆放回木盤，謙遜地說。

「貧僧深謝了！」遠通再次合十鞠躬。

「曾大人，總督衙門來了一位老爺，說是有急事要面稟。」靈谷寺的知客僧急急忙忙走過來，邊施禮邊說。

「什麼事？叫他進來。」

來的是督署武巡捕。他走到曾國藩身邊，悄悄地說：「李制軍遣弟昭慶來江寧，要向大人稟報……」

「備轎！」不待巡捕說完，曾國藩便下令。

「大人齋飯已備好，吃了再走吧！」遠通慌忙挽留。

「打擾了，下次再來吃吧！」曾國藩邊說邊急步走出無樑殿。他知道，李鴻章一定是遇到了難以獨自作主的大事難事。

原來，李鴻章督師以來，採取了誘敵於絕地然後合圍的戰略和離間之計，大大地挫傷了捻軍的元氣，把賴文光、任化邦的東捻軍引誘到山東煙台一帶。李鴻章認為東捻已到山重水覆的地步，準備以膠萊河為防線，將他們困死在登萊半島。李昭慶奉命來到江寧，一來請教此法是否可行，二來求援二十萬餉銀。

從靈谷寺到城裏的一路上，曾國藩心裏就一直在揣度著李昭慶要談的事。前方戰事時有反覆，令曾國藩提心吊膽，只有李鴻章用河防之策將捻軍最終平息下去，方可洗去他打捻無功的恥辱。如果李鴻章也失敗了，後果則不堪設想。他的這種心情，就和當年在安慶掛念老九打金陵一樣。聽了李昭慶的稟報後，曾國藩在心裏長長地抒了一口氣。他沒有馬上表示態度，而是離開坐位走到掛圖邊，擰緊兩道掃帚眉，眼睛死死地盯著山東省。

大約過兩刻鐘之後，曾國藩重新回到坐位上，對李昭慶說：「幼泉，回去告訴你二哥，就說我完全贊同他的這個設想，只是要提醒他注意一點：丁寶楨是山東巡撫，他的職責只是守山東，滅不滅捻寇不是他的事，防守膠萊盡量用劉省三部，而不用魯軍，前年賴文光就是沖破豫軍朱仙鎮防線的，丁寶楨和李鶴年是一樣的思想。因此，為防萬一，還要在運河設第二道防線，以潘鼎新扼守，在江蘇六塘河設第三道防線，就近調鮑超、陳國瑞部防守。你今天休息一下，明天一早就回去。告訴少荃，繁雖進甕中，但並未到手，還有可能逃出去，不可存絲毫虛驕。至於二十萬餉銀，我分文不少。」

事情正如曾國藩所估計。同治六年八月十九日，東捻軍在賴文光、任化邦率領下，在海廟口以北十幾里海灘地方突破魯軍防線，過濰河、濰縣、昌樂，擬再渡運河，進入豫陜，與張宗禹的西捻會師。但在運河遇到了潘鼎新部的頑强阻擋，又加上大雨連綿，河水盛漲，東捻軍心大亂，叛徒潘貴升乘機殺害了魯王任化邦。賴文光率殘部重上山東，結果一敗於濰縣，再敗於壽光，二萬將士戰死，首王范汝增英勇犧牲。賴文光率六千人苦戰逃出，準備下江蘇，在六塘河又遇到鮑超的阻擋，後來雖從陳國瑞部的缺口突破六塘河，但終於大勢已去，人少力弱。賴文光被抓就義，東捻全軍覆沒。

捷報傳到江寧，一洗曾國藩兩年多來的屈辱。朝廷論功行賞，李鴻章授以協辦大學士，劉銘傳首倡河防之策，封一等男爵，並念記曾國藩的決策之功及轉戰一年多的辛勞，加恩加賞一云騎尉世職，接著又從體仁閣大學士調任武英殿大學士。不久，李鴻章、左宗棠、劉松山等會剿西捻成功，梁王張宗禹戰死徒駭河邊。鬧了十多年的捻軍起義被完全鎮壓下去了。曾國藩精神重又振作起來，正準備把整飭兩江的事繼續下去時，官文卻因阻擊西捻失敗之罪，被撤除了直隸總督之職，慈禧太后調曾國藩接任，並著晋京陛見，兩江總督一職，則由浙江巡撫馬新貽升任。

曾國藩這次欣然受命，其原因，不僅因捻亂平息，朝廷沒有忘記他的功勞，更因他多年的明友暗敵官文徹底垮台了，他今後的仕途少了一塊絆腳石，曾國荃、郭嵩燾、劉蓉、劉長佑等人東山復起也少了一重障礙。放眼今日之域中，又是湘淮軍的天下！他能不興奮嗎？

二　堂堂大清王朝，竟好比一座百年賈府

兩江治內的大小政事，曾國藩都可以移交給馬新貽，唯有兩件事他放心不下，要親自交代一番。

第一是江南機器製造總局的事，他擬親赴上海一行。容閎得到消息，自己駕駛新製的火輪船由滬赴寧來了。曾國藩十分高興。他興致勃勃地登船觀賞，並命容閎向采石磯開去。容閎開足馬力，船在江面飛也似地前進，近兩百里水路，不到兩個時辰便到了。曾國藩坐在船艙裏，頗有點意氣風發之感。到了采石磯後，容閎又掉過船頭，開回江寧。因爲是下水，更快，一個半時辰便回到下關碼頭。曾國藩興奮地說：「純甫，這艘船比起安慶內軍械所造的黃鵠號又要强

多了，簡直與洋人的船不相上下。」

容閎說：「與前些年洋人的船相比，速度是差不多了，但洋人這兩年造的船又快多了。洋人的東西日新月異，學不勝學。」

「我們中國人並不蠢，只要有志氣，今後總可以超過洋人的。」曾國藩堅定地說，又問，「這艘船取的什麼名字？」

「還沒有名字哩，正等著大人爲它命名。」

曾國藩站在甲板上，望著滾滾東去的長江水，凝神良久，說：「就叫它恬吉號吧！取四海波恬、公務安吉之意。你看如何？」

「最好！」容閎歡喜地說。

「純甫，我此去直隸，最令我掛繫的就是上海機器製造總局，它還剛上軌道，並不成熟。在中國建機器製造局，是我曾某人辦的一樁破天荒的事，它也可能成功，也可能不成功，說不定今後還會招致衆多非議。不過，依老夫之愚見，這個事業非要辦成功不可。中國的徐圖自强，只能肇基於此。純甫，我看重你，主要還不是因爲你留過洋，與洋人熟悉，而是看重你的能吃苦、性格堅毅。你千萬不要辜負我的期望，今後不管有千難萬難，你都要把這件事堅持辦下去。你尚年輕，今後的日子還長，是可以看到成功的一天的，老夫卻不一定看得到了。」

「曾大人，卑職感大人知遇之恩，也深知此事重大，卑職一定盡力辦好。」容閎辦機器製造業已經五六年了，先前是滿腔赤子之心，恨不得兩年三年就把美國英國的全套機器搬到中國來，讓國家立即强盛。這些年來，他在辦事過程中，深感處處棘手，步步難行，多少次都想甩手不幹，但最後還是挺下來了。他本想向曾國藩吐一肚子苦水，聽曾國藩這一說，便不敢再講了，硬著頭皮把總督交給的擔子擔起來。

「純甫，我知道你有難處。」曾國藩從「盡力辦好」四字中，已知容閎的艱難。「老夫活了五十多歲，經事不少，知天下事有所激有所逼而成者居其半。困難之處，正可看作是激勵和逼迫。你拿張紙來，我送你兩個字，作爲暫時分別的留念。」

容閎忙拿出一張隨身攜帶的棉料呈文紙，曾國藩寫下兩個大字：「患難」。又在旁邊寫了一行小字：「余將赴直隸，書此二字送純甫，以志相交於患難之時也。」寫罷，親手把紙遞了過去。容閎激動萬分，打開從美國帶回的牛皮箱，將它珍藏於箱中。後來容閎定居美國，西方友人願以十萬美金買下這幅字，容閎毅然拒絕。這當然是後話了。

第二件是金陵書局的事。船山遺書的印裝即將成事。道光十九年刻的《書經稗疏》《春秋家說序》因錯訛較多，而稿本王家又已不愼被燒，曾國藩便託劉昆在京師文淵閣抄出，前幾天也已送到江寧來。他又擠出時間，親自爲船山遺書的印刷作了一篇序，現在都一併交給書局趕緊雕板，不用他操心了。只是還有一大批洋人的譯書和國內耆儒的書稿，還在等待著刋刻。曾國藩親到書局去了一趟，見設備簡陋的書局裏堆放著一疊疊刻印俱佳的船山遺書，他欣喜地翻閱著，把書湊近鼻子邊，貪婪地聞著，覺得油墨噴出的氣味眞香。陪同一旁的歐陽兆熊笑道：「前人說唐詩可以佐酒，你也眞像要把這本書吞吃掉似的！」

「小岑兄，不瞞你說，我現在最大的心願，便是摒去一切世事，學當年李鄴侯那樣，到深山老林裏去築一間茅屋，讀盡天下書。」曾國藩說，那神情極爲虔誠。

「那眞是一種絕大享受，可惜你沒有這個福分。」歐陽兆熊大笑，曾國藩也笑了。

離開書局時，曾國藩拉著老友的手，語重心長地說：「船山公的書印得差不多了，這是一大工程，你我都實現了夙願。其他存局的譯稿也都要刻印出來。洋人機巧之心，造炮製船的奧妙都在這些書裏，要想使中國富强起來，就非要讀這些書不可。至於那些耆儒們的著作，也是一生心血所在。他們大多清貧，無力付梓，我們不印，他們將抱恨終生，學術成果也就會湮滅，所以也得刻印出來。馬穀山若是不支持，你就寫信給我，我給你匯銀子來。」

歐陽兆熊感動地說：「滌生，我和你的心是相通的。你才大，幹大事，我力小，辦小事，總之都要為世人做有益之事。你放心去直隸吧，我之餘生便在此書局了。只要有我在，金陵書局就不會關門，馬穀山不給錢，我賣田產店鋪也要把存局的這批書稿刻印出來！」

兩雙已變蒼老的手緊緊地握在一起！

從書局回到衙門不久，趙烈文便引著一個漢子進門來。那漢子挑著兩隻大木箱。

「大人，歐陽先生給你送了一擔禮物。」趙烈文笑嘻嘻地說。

「哪個歐陽先生？」曾國藩皺起眉頭說，「你叫他挑回去，什麼禮我都不收！」

「還有哪個歐陽先生，就是書局的小岑老丈呀！」趙烈文邊說，邊擅自叫那漢子放下擔子。

「他送我什麼禮物？我剛從他那裏來。」曾國藩疑惑不解。

那漢子拿袖子抹了抹臉上的汗，說：「大人剛走，歐陽先生便說，你們看我現在呆成什麼樣子了，曾大人奉調直隸，一走幾千里，今後捎帶東西十分不便。船山公的遺書就差兩本沒完工了，我們何不把先印好的送他一套呢！大家都說應該。於是就裝滿了兩箱子，派我送來。」說著打開木箱，露出疊得整整齊齊的幾十函書來。曾國藩滿面笑容地說：「好，好！這個禮物我收下。你辛苦了，到大廚房裏吃過飯再走。」

那漢子出門後，趙烈文幫助曾國藩將書一函一函地拿出來，放到書桌上，幾乎把整個書案擺滿了。

「船山先生處飢寒交迫之境地，孜孜不倦，寫出這麼多好書來，眞正不容易呀！」曾國藩望著眼前的書感嘆起來。

趙烈文順手翻著《讀通鑒論》。這本書在書局刻印過程中，他便零零星星地借來讀過一遍，十分佩服船山的見事高明、議論深刻。此時看著這部被裝釘成十大本的五十餘萬言巨著，眞是愛不釋手，心裏油然生出一股對船山的由衷崇拜。「大人，船山公議論戛戛獨造，破自古悠謬之談。卑職想，若使其得位乘時，必將大有康濟之效。」

「不見得。」曾國藩輕輕地搖了搖頭。

「爲何？」趙烈文頗感意外。他深知曾國藩一向尊崇王夫之，但爲什麼並不贊同這個觀點呢？

「船山之學確實宏深精至，但有的則嫌偏刻。比如對人的評價，求全責備的多，寬容體諒的少。若讓船山處置國事，天下則無可用之人了。」曾國藩離開座位，在書案前走了幾步後又說，「作文與做官並不是一回事。作文以見深識閎爲佳，立論即使尖刻、偏頗點亦無妨，因爲不至於傷害到某一個人，也不去指望它立即收到實效，只要自圓其說，便是理論，運筆爲斤，自成大匠。做官則不同，世事紛繁，人心不一，官場複雜，尤爲微妙，識見固要閎深，行事更需委婉，曲曲折折，迂迴而進，當行則行，當止則止，萬不可逞才使氣，只求一時痛快，歷來有文壇上之泰山北斗，官場上卻毫無建樹，甚至一敗塗地者，蓋因不識此中差別矣！」

趙烈文不斷點頭稱是。過一會，曾國藩感慨地說：「世上之人，其聰明才力相差都不太遠，此暗則彼明，此長則彼短，在用人者審量其宜而已。山不能爲大匠別生奇木，天亦不能爲賢主更生異人。」

「大哉，宰相之論也！」趙烈文不由得高聲贊嘆。

「惠甫，你怎麼可以出其不意，攻其不備呀！」曾國藩哈哈大笑起來，心情十分快活。

「卑職跟隨大人多年，素日裏聽大人談經談史談人物，所獲甚多。有時想，若是把大人這些談話都整理出來，刻印成書，必然對世人大有啓發。」趙烈文眞摯地說，他其實已悄悄地這樣做了。每次和曾國藩談話之後，他就趕緊記在當天的日記上，盡量做到不漏一句，不走一絲樣，把它們原原本本地留在紙上。曾國藩多次和他談「靜」的意義。從春秋的諸子百家，談到宋明的程朱陸王，把「靜」的學問闡發得淋漓盡致，說得趙烈文如醉如痴。他於是自號能靜，將書齋命名為能靜居，其每天的日記也隨之叫做能靜居日記。這部能靜居日記已記了二十年了，其中有不少曾國藩的言論。

「惠甫，我本是一個讀書做詩文的料子，誰知後來走錯了路。」曾國藩今天的談興很高，他喝了一口茶，饒有興致地談起了往事。「我初服官京師，與諸名士接遊，時梅伯言以古文、何子貞以學問書法皆負重名。我時時察其造詣，心獨不肯下之。顧自視無所蓄積，惟有多讀書而已，心中則以為異日梅、何之輩不足以相伯仲。豈料學未成而官已達，從此與簿書為伍，置詩文於高閣。咸豐二年後奉命討賊，馳驅戎馬，益發無暇為學。今日回過頭來再讀梅伯言之文，自覺其有過人之處，往者之見，實為少年偏激。不過，我至今心裏仍不服輸，若讓我有時間讀書，我一定要與梅伯言爭個高低。」

說罷，一副憤憤不平的認眞樣子。趙烈文鼓掌大笑起來，說：「人之性度不可測識，世有薄天子而好為臣下之稱號者，漢之富平侯、明之鎮國公（漢成帝自稱富平侯家人，明武宗自稱鎮國公。）也。大人事業凌鑠千古，唐宋以下幾無其倫，仍斤斤計較，要與寒儒一爭高下，豈不與漢成帝、明武宗為一類的人！」

曾國藩笑著說：「我講的是實話。」

趙烈文說：「我於此看出了大人年輕時的英發雄姿，定然不可一世，後來與洪楊爭勝負，大概也出於此好勝之心。」

「眞給你說對了，惠甫。」曾國藩說，「起兵之初，亦有激而成，不僅要與洪楊爭高下，也要與湖南官場爭高下。初得旨爲團練大臣，借居撫署，爲懲辦幾個鬥毆的兵痞，長沙綠營竟全軍鼓噪入署，幾爲所戕。因此發憤到衡州募勇萬衆。那時也不過爲爭口氣而已，不意遂有今日。眞可爲一笑。」說到這裏，曾國藩停住了，繼而又喟然嘆息道：「可惜捻戰無功，國家亦未中興，平長毛這點功勞，實不足道。」

「李中堂剿捻成功，用的就是大人的河防之策。他的勝利，就是大人的勝利。」趙烈文安慰道，「卑職想，大人募湘軍，後來李中堂募淮軍，與北宋韓世忠、岳飛等人募軍有相似之處。當年韓、岳自成軍自求餉，湘淮軍的成功，實基於此。」

「是的。」曾國藩鬆開握鬚的手，支在扶手上，將身子挺直，「大抵用兵而利權不在手，決無人應之。故我起義師以來，力求自强之道，粗能有成。」

趙烈文笑道：「大人成則成矣，而風氣則大辟蹊徑。依卑職看來，大人歷年辛苦，與賊戰者不過十之三四，與世俗文法戰者不啻十之五六。今大人一勝而天下靡然從之，恐數百年不能改此局面。一統既久，剖分之象蓋已濫觴，雖是人事，亦是天意。」

曾國藩默然良久，徐徐嘆道：「我始意豈及此！成敗皆氣運，今日之局面，亦同系氣運所致。」

這時，一個僕人進來，遞給曾國藩一張紙條。曾國藩看過後問趙烈文：「這是何物，你能猜得著嗎？」

趙烈文搖搖頭。

「這是老夫的晚餐菜單。」

多年來，曾國藩一直與幕僚一起就餐。歐陽夫人率兒女到江寧後，一家人在一起吃飯的時候多了，不過，他也還時常到大廚房和幕僚們邊吃飯邊聊天。近一年來，他常常喜歡一個人在書房裏吃飯，偶爾歐陽夫人也到書房來陪他吃。

「菜單？」出於好奇，趙烈文將紙條拿過來看了看，只見上面寫著：「魚片煮白豆腐一小碗，香葱蘿蔔絲一小碗，菠菜湯一中碗，辣椒豆鼓一小碟，米飯一小碗。」

趙烈文嘆息：「大人還是吃得省儉！聽說升州板鴨店常常給江寧各大衙門送板鴨，大人不妨切點吃。」

「我這裏沒有升州店的板鴨！」曾國藩斷然說，「以前他們送過幾次，每送一次，我便叫人退回一次，以後他們也就不再送了。我的廚房裏沒有多少雞鴨魚肉，連紹酒都是論斤零沽。」

「大清二百年，不可無此總督衙門！」趙烈文深有所悟地嘆息。

曾國藩說：「那好，足下他日爲老夫撰寫墓誌銘，這便是材料！」

說著，兩人都大笑起來。

「江六，今晚有客人吃飯，你加一碗臘肉、一碗臘魚、一碟火腿，再去打三斤紹酒來。」曾國藩吩咐僕人。江六應聲出門，趙烈文起身告辭。「不要走，我已經留你吃飯了。」

「客人就是我？」趙烈文受寵若驚，與曾國藩單獨在一起吃飯，這還是第一次，過去雖然也一起吃過飯，但那是和衆人一道在大餐廳裏就餐。

「過一會歐陽小岑也來。今晚我做東，請你們二位　」曾國藩很難得請客，今晚這餐飯既是與歐陽小岑話別，又是爲了答謝他送了這套船山遺書。趙烈文則被拉來作陪。

趙烈文重新坐下，一眼瞥見書架上擺著一疊《紅樓夢》，遂笑道：「想不到兩江總督衙門也有私鹽，今天被我拿著了！」說罷，起身向書架邊走去。曾國藩先是一怔，後恍然大悟，說：「日前御史王大經奏禁淫書，《紅樓夢》赫然列第一，眞可笑得很。這是一部奇書，你讀過嗎？」

「五年前匆匆讀過一遍，的確寫得好，眞想再讀一遍。」

「《紅樓夢》要多讀幾遍，才能摸到曹雪芹的眞意。不瞞你說，我這是讀第三遍了。」曾國藩也走到書架邊，拿起堆在上面的第一本，順手翻了幾頁。忽然，從書中飄下一幀照片，趙烈文忙彎腰拾起。照片上是一幅精美的園林圖：遠處爲小橋假山、樓閣迴廊，近處是一座水榭，一個俊美的貴公子坐在瓷墩上，對水吹簫，神態優雅恬適。

趙烈文凝視許久，問：「大人，這吹簫的少年是誰？」

「你看看照片的背後。」曾國藩說，手中的書已合攏，重新放到書架上去了。

趙烈文把照片翻過身來，看到一行字：「老中堂惠存。鑒園主人贈。」

「他是恭王？」趙烈文頗爲懷疑地問。

「正是。」

曾國藩重新坐到太師椅上，端起茶碗呷了一口。趙烈文又把照片翻過去，再細細諦視著，說：「眞是個英俊美少年。」隔一會，又自言自語：「美則美矣，然非尊彝重器，不足以鎭壓百僚。」

曾國藩隨口答道：「貌雖不厚重，聰明則過人。」

「聰明誠然聰明，不過小智慧耳。」趙烈文將照片置於茶几上，毫無顧忌地說，「見時局之不得不仰仗於外，即曲為彌縫。前向與倭相相爭，無轉身之地，忽而又解釋。這都是恭王聰明之處。然此則為隨事稱量輕重、揣度形勢之才，至於己為何人，所居何地，應如何立志，似乎全無理會。凡人有所成就，皆志氣作主，恭王身當姬旦之地，無卓然自立之心，位尊勢極而慮不出庭戶，恐不能無覆餗之慮，怕不是淺智薄慧之技所能倖免。」

趙烈文這番議論，曾國藩在心裏也有些同感，但他不忍心指責恭王，恭王畢竟有大恩於他，且其亦有自身的難處，不是局外人所能知道的。他避開對恭王的議論，轉向另一個話題：「本朝君德甚厚。就拿勤政來說，事無大小，當日必辦。即此一端，便可以跨越前代。前明嘉靖帝在位四十五年，前前後後加起來，臨朝之日不會超過三年。本朝歷代皇帝，非重病不缺一天，眞是前朝少有。又如大亂之後而議減征，餉竭之日而免報銷。數者皆非亡國舉動，足下以為如何？」

「數者皆非亡國舉動」一句話，使趙烈文頗覺意外，他於此窺視出曾國藩對國事蜩螗的憂慮不滿的心理，試探著說：「大人問卑職對本朝君德的看法，請恕卑職不知天高地厚的狂肆。」

「這裏沒有外人，你只管放心說。」曾國藩微微一笑。

得到鼓勵，趙烈文的膽子更大了，遂痛快陳詞：「天道窮遠難知，不敢妄對。卑職以爲，自三代以後，論强弱不論仁暴，論形勢不論德澤。比如諸葛亮輔蜀，盡忠盡力，民心擁護，而卒不能復已絕之炎劉；金哀宗在汴，求治頗切，而終不能抗方張之强韃。人之所見不能甚遠，既未可以一言而決其必昌，亦不得以一事而許其不覆。議減征，說來是仁政，但創自外臣，本非朝廷旨意；免報銷，當然顯得寬容，但餉項原就是各省自籌，無可認眞，不如做個順水人情。這些都是取巧的手腕。至於勤政，的確爲前世所罕見，但小事以速辦而見長，大事則往往以草率而致誤。以君德卜國之盛衰，固然不錯，但中興氣象，第一貴得人。卑職看今日中樞之地，實未有房、杜、姚、宋之輩，若僅以勤政之形式而求中興，恐未能如所願。」

趙烈文這些論點，曾國藩深以爲然。恭王聰明而不能鎭百僚，文祥正派而規模狹隘，寶鋆靈活但不滿人口，有節操的僅倭仁一人，卻又才薄識淺。時局盡在軍機，而軍機這班要員就是這般，國事如何能指望？心裏雖這樣想，嘴上卻不能贊同烈文的不恭之言。他要再聽聽這位見事深細的幕僚對朝政的看法，遂含笑道：「本朝乾綱獨攬，亦前世所無。凡奏摺，事無大小，逕達御前，毫無壅敝。即如沅甫參官秀峯摺傳到御座前，皇太后傳胡家玉面問，僅指摺中一節與看，不令睹全文。稍後放譚廷襄、綿森二人去湖北查辦，而軍機處尚不知始末。一女主臨御而威斷如此，亦古來罕見。」

趙烈文冷笑道：「當今太后處事，確如大人所言，其詭密之程度，連軍機大臣都無法知曉，太后亦矜矜自喜此中手腕。然女流之輩畢竟不懂得，威斷在俄頃，而蒙敝在日後。當面都唯唯諾諾，謹遵照辦，一出外則恣肆欺蔽，毫無忌憚。一部《紅樓夢》，把這種面目都寫絕了。卑職有時想，堂堂大清王朝，竟如同一座百年賈府，外面的架子雖未甚倒，內囊卻也盡上來了。不久就會有忽喇喇似大廈傾，昏慘慘似燈將盡的一天到來。」

趙烈文的話說得如此明白可怕，令曾國藩憂鬱不安，正想爲太后申辯兩句，歐陽兆熊應邀來了。他趕緊中斷這番談話，吩咐擺菜吃飯。本來興致很濃的一餐告別晚宴，卻因此而吃得不甚暢快，待歐陽兆熊和趙烈文告辭回家後，曾國藩的心潮仍不能平靜。

這時歐陽夫人正患咳喘，不能長途跋涉。曾國藩留下紀澤夫婦在江寧照料，帶著紀鴻和衆幕僚們，冒著嚴冬酷寒，頂著北風，匆匆離開兩江，他要趕在同治八年元旦前進入京師。

三　初次陛見太后皇上，曾國藩大失所望

曾國藩離開京師已整整十七年了。當綠呢轎車進入彰義門洞時，他不覺心頭一熱，無聲念

道：北京啊，北京，今天總算又見到你了！轎車穿過廣安門，在一條狹長的街道上緩緩行駛。這一帶是原金朝的中都城，繁華的往昔早已隨著歷史煙雲過去，剩下的只是一些破舊低矮的民房和窄陋的街巷胡同。出了宣曜門，很快便進入正陽門大街。遠遠地可以望見閃耀著明黃色彩的宮殿羣了，輦轂重地雍容尊貴的非凡氣派終於出現在眼簾。曾國藩看著看著，視線漸漸模糊，心底思潮翻捲。十七年了，多麼不平凡的十七年啊！當年雄壯軒昂的禮部右侍郎，已被常人不可想像的艱難險阻、憂傷恐懼、委屈打擊、苦心思慮，打磨得兩鬢如霜，兩頰如削，疲弱得似經受不起轎窗外揚起的風沙。這十七年間的腥風血雨，究竟靠什麼挺過來了呢？是靠青年時代立下的雄心壯志？靠鏡海師所傳授的理學修養？還是靠對三朝皇恩的報答之心？這十七年來所做的一切究竟又是圖的什麼呢？爲名標青史、留芳百世？爲維護名教、拯民水火？還是爲了眼前這座京城，以及住在這裏的大大小小的官吏和他們的主子？

曾國藩的身旁坐著昨天特地出城迎接的周壽昌。往日的風流才子，而今也是五十四、五歲的人了，現官居翰林院侍讀學士。他身穿深紫色漢瓦團花庫緞駝毛長袍，罩一件麂皮軍機坎肩，因爲清閑，加之又會保養，他的氣色很好，與僅大三歲的同鄉好友相比，宛若有兩個輩分之差。昨夜在驛館裏兩人談了大半夜，周壽昌還有許多話要說，見曾國藩入城來氣宇凝重，沈默不言，也不便開口。

轎車經過天橋，來到珠市大街口。這裏商賈雲集、車水馬龍，板章巷口有一個臨時搭起的木棚子，棚子裏的灶台上有一口龍頭大鍋在冒著熱氣，棚子四周聚集著上千個乞丐。時已三九隆冬，這羣乞丐無一人有件完整的衣褲，好些人的上身掛著松柏樹枝，企望靠它來抵禦風沙。他們滿身污垢，抖抖顫顫地。圍在鍋邊的在吵吵鬧鬧，老遠便把手中的破碗遞過去。後邊的亂七八糟地排著長隊，破碗爛缽不是拿在手上，而是覆叩在頭頂。曾國藩心中惻然，不忍看下去，將臉掉向左邊轎窗。這時，一輛圍著紅障泥的大鞍車飛也似地從窗邊閃過，一陣塵土飛揚，老遠地，還聽得見馬脖子上的銀鈴響聲。

「應甫，你看清了嗎，剛才過去的是哪個衙門裏的堂官？」曾國藩皺著眉頭問。

「不是堂官，是近日一個跑紅的優童。」周壽昌淡淡一笑。

「優童？」曾國藩驚訝不已，「一個優童敢坐紅障泥大鞍車？」

「滌翁，你這是二十年前的老皇歷了。」周壽昌笑起來，「現在京師最看重的就是優童，比我們這些翰林學士的身價都高。達官貴人、豪門公子挾帶一個色藝俱佳的優童赴酒樓，一桌酒花二三百兩銀子，這種事在京師不算新聞。優童之居，擬於豪門貴族。其廳堂陳設光耀奪目，錦幕紗櫥，瓊筵玉几，結翠凝珠，如臨春閣，如結綺樓，神仙見了都要吃驚。」

「京師風氣，竟然敗壞到了這等地步！」曾國藩很憤慨。

轎車進入拉冰胡同，一座大官府第門前車馬堵塞，賀客絡繹，鞭炮聲不斷。曾國藩依稀記得，這是前工部尚書壽元的家。

「壽元還健在嗎？他家今天是祝壽還是娶媳婦？」曾國藩小聲地問周壽昌。

「壽元活得很硬朗。他家今天的喜慶我知道，不是祝壽，也非娶親。」周壽昌是個幾十年的京師通，他什麼都知道。

「那又是幹什麼？」

「這件喜事，你是無論如何都想不到的。壽元已蒙喇嘛高僧開恩，答應在他死後，把他的額骨琢爲念珠。」周壽昌神秘地笑了笑。

「什麼？」曾國藩驚得幾乎要從轎車裏站起來。他好歹也在京師呆過十三四年，過去從未聽過有這等怪事。

「滌翁，你剛進京，還不淸楚，這些年京師的怪事多得出奇。好比這件事，我怎麼也不能理解。信喇嘛教的人都說，若死後額骨琢成念珠，爲高僧佩戴，其魂便長依佛門。高僧從不答應世人的要求，一旦答應，求者就好比乍膺九錫，人人祝賀。壽元因作過尚書，又加之對喇嘛禮之甚恭，才能得此殊榮。」

「京中的大官們怎麼都這樣糊塗了？」

「滌翁，我念幾首《一剪梅》給你聽聽，據說是個江南才子寫的，專為中外大官們畫像。」

周壽昌搖頭晃腦地吟了起來——

仕途鑽刺要精工，京信常通，炭敬常豐。莫談時事逞英雄，一味圓融，一味謙恭。

大臣經濟在從容，莫顯奇功，莫說精忠。萬般人事要朦朧，駁也無庸，議也無庸。

八方無事歲年豐，國運方隆，官運方通。大家襄贊要和衷，好也彌縫，歹也彌縫。

無災無難到三公，妻受榮封，子廕郎中。流芳身後更無窮，不謚文忠，便謚文恭。

車輪在泥土路上碾過，留下兩行淺淺深深的轍印，將綠呢轎車拉向前進，京師慣常的臭氣臊氣一陣陣襲來。曾國藩只覺得胸中作嘔，頭腦發脹，進京途中重新振作的精神，被眼前的景象打得七零八落。他痛苦地自問：辛辛苦苦與長毛、捻軍搏鬥了十七年，難道保下來的竟是這樣一座江河日下的京城？這樣一批庸碌荒唐的官吏？

穿過繁華而雜亂的大街小巷，曾國藩一行寓居東安門外金魚胡同賢良寺。早有吏部官員稟報兩宮太后。傍晚，吏部侍郎胡肇智親來賢良寺傳旨：「賞曾國藩紫禁城騎馬，明日養心殿召見。」

這一夜，曾國藩通宵不眠。賞紫禁城騎馬，這是皇家給予年高德劭大臣的一種極高禮遇，且一進城便召見，也說明了兩宮太后的渴念之情。皇家恩德深重啊！深受程朱理學薰陶的武英殿大學士在心裏反反覆覆地念叨著，進城時的不快心緒已經消失，十七年來的辛苦委屈，彷彿都讓這道聖旨給酬謝了。

自從道光二十年散館後得見天顏，這已是第三代聖主了。皇上尚不到十四歲，少年天子是個什麼模樣，他想清楚地看一眼。兩宮太后都還年輕，西太后聰明過人，據說有當年則天女皇之風，對國事處理的才能究竟如何，他也想親自掂量一下。明天召見，皇上和兩位太后會提出些什麼問題呢？他設想許多可能問到的事，又一一在心裏作了回答。就這樣想來想去，自鳴鐘噹噹響了四下，窗外仍然漆黑一團。曾國藩起床，盥洗完畢，盤腿在床上靜坐片刻，然後吃飯。

卯初二刻，曾國藩乘轎來到景運門外，內廷官員在門邊恭迎。他下轎進了門，這裏已是一片輝煌燈火。景運門的右邊是乾清門，這是內廷的正門。清朝從順治到道光，這裏是歷代皇帝御門聽政的地方，咸豐以後則多改在養心殿。乾清門的右邊一直到隆宗門，有一排矮小的連房。連房西頭是內務府大臣辦事處，東頭是侍衛值宿房，中間是軍機處。此刻，這裏已端坐幾位當朝核心人物。他們在等候早朝，並預知曾國藩今日陛見，都想趁此機會先睹這位名震寰宇的一等侯爺，和他說上幾句話。

曾國藩尚未走到乾清門，軍機大臣文祥、寶鋆、沈桂芬、李鴻藻便聞聲而出，一同把他迎進軍機處。咸豐二年曾國藩離京時，文祥任工部主事，寶鋆任翰林院侍讀學士，沈桂芬任翰林院編修，李鴻藻剛在這一年點翰林。論職務，都在曾國藩之下；論科名，除寶鋆與之同年外，其他也都是晚輩。四個軍機大臣在曾國藩的面前甚是謙恭。

正說得投機，外面報恭王到。曾國藩等一齊走出門外。只見恭王正在幾個貼身侍從的陪伴下，大步流星地向前走來。曾國藩想起這些年來恭王對自己的推荐、信賴、依偎，心中感激不盡。他趕緊趨前兩步，口裏念道：「草莽曾國藩叩見王爺。」說著便要下跪。

奕訢忙跨上一步，雙手扶住，說：「老中堂免禮！」攜起曾國藩的手，一起進了軍機處。

坐下後，奕訢把曾國藩細細端詳一番，輕聲說：「中堂蒼老多了！」

一句話，說得曾國藩熱淚盈眶，硬著喉嚨答：「十七年前草莽離京時，王爺尚是英邁少年，不想今日重見，王爺也已步入中年了。」

奕訢說：「這些年來，老中堂轉戰沙場，備嘗艱險，祖宗江山，實賴保衛，闔朝文武，咸對老中堂崇敬感激！」

曾國藩聽了這幾句貼心話，一時血液沸騰，哽咽著說：「全仗皇太后、皇上齊天洪福，靠王爺廟謨碩畫，草莽何功之有！但願從今以後，四海安夷，國運隆盛。」

衆軍機一齊說：「這一切全賴老中堂的經緯大才！」

過一會兒，惇親王奕誴、醇郡王奕譞、鍾郡王奕詥、孚郡王奕譓以及六部九卿都陸續來到，大家猶如衆星拱月般地簇擁著曾國藩，往日肅穆安靜的軍機處變得熱鬧起來。

看看已近巳正，還不見叫起，曾國藩有點急了。正在這時，年近八十的鎭國將軍奕山走進來傳旨。鴉片戰爭期間，奕山在廣州掛起白旗，向英國侵略者義律投降，辱國喪權，激起衆怒，被鎖拿京城，擬處以大辟。只因是道光帝的侄子，才免於一死。後來又放出，予以重用。爲國家贏得聲威的英雄林則徐死去已近二十年，給祖宗丟臉的懦夫卻仍然硬朗朗地活著。天道不公！曾國藩的腦子裏瞬時間閃過這一念頭。即將面聖的非常時刻不容他多想，他趕緊回過神來，跟在奕山的後面，左轉進了西長街，然後跨進遵義門，養心殿便出現在眼前了。

奕山把曾國藩領到東暖閣門邊，自己先進去了。立刻，裏面傳出一句清亮動聽的女人聲音：「叫他進來吧！」

曾國藩知道這是皇太后開的金口，他下意識地正了正衣冠，挺直身軀。奕山走到門邊，嘶啞著喉嚨喊：「傳曾國藩！」

兩個太監打起明黃緞棉帘，曾國藩彎腰進門，走前兩步，雙腿跪下，叫道：「臣曾國藩恭請聖安！」

「曾國藩免禮。」又是一句好聽的女人京腔，只是音色比先前一句柔和些。曾國藩心裏在猜測：前一句或許是慈禧太后的決定，剛才這一句可能是慈安太后的客氣。慈安太后待人寬厚，這一點他早有所聞。曾國藩摘下插著雙眼花翎的珊瑚紅頂帽，將它放在右手邊，低下頭去，高聲說：「臣曾國藩叩謝天恩！」然後一連叩了三個頭，青磚地發出三下沈厚的響聲。叩完後，他站起來，右手托著大帽子，向前走數步，在正中一塊軟緞墊子上跪了下來，恭聽天語。

片刻之間，養心殿東暖閣裏闃寂無聲。曾國藩額頭上沁出細細的汗珠。

「曾國藩，你在江南的事都辦完了？」說第一句話的那個女人終於開腔了。

「是的。」曾國藩趁此機會抬起頭來，向前面迅速掃了一眼，然後趕緊垂下，答，「臣在江南的事都辦完了。」

就這一眼，他已將面前的布局看清楚了。皇上端坐在正面寶座上，身材似乎較瘦弱，面孔蒼白，一臉稚氣，眼睛望著遠遠的門簾子，並不看他。剛才說話的太后坐在北面，南面也坐著一位，兩位太后的前面都放著一層薄薄的黃幔帳。曾國藩已從軍機處得知，召見時慈安太后坐南，慈禧太后坐北。因此，剛才的問話出自慈禧太后之口。

「勇都撤完了嗎？」慈禧太后又問。

「捻寇滅後不久都撤了。」曾國藩答。他神情緊張，背上已漸漸發熱。

「撤的幾多勇？」又是慈禧太后的聲音。

「撤的二萬人，留的三萬人。」不是講都撤了嗎，怎麼還留有三萬，比撤的還多？曾國藩自己已發覺這中間的矛盾，心裏一急，背上的熱氣立即變成汗水。

「何處人多？」

「撤的以安徽人最多，湖南也有一些。」見慈禧太后並沒有就二萬三萬的數字查問下去，曾國藩略鬆了一口氣。

「你一路上來也還安靜嗎？」這是慈安太后在發問了。

「路上很安靜。」曾國藩答，「起先恐怕有游勇滋事，結果一路倒也平安。」

「你出京多少年了？」慈安太后再問。

「臣出京十七年了。」

「你帶兵多少年？」還是慈安太后的聲音。

「從前總是帶兵，這兩年蒙皇上恩典，在江南做官。」答到這裏，曾國藩的緊張心情開始鬆弛下來。

「你以前在禮部？」

慈安太后的問話雖多，但最好回答，曾國藩不要作任何思考。他答道：「臣前在禮部當差。」

「曾國荃是你的胞弟？」慈安太后又換了一個話題。

「是臣胞弟。」

「你兄弟幾個？」

「臣兄弟五個，有兩個在軍營死的，皆蒙皇上非常天恩。」曾國藩說到這裏，心裏微微一顫，他想起了廬山黃葉觀裏的溫甫。溫甫走後的最初幾年，曾國藩時時提心吊膽，以後見無聲無息的，也就慢慢心安了。常常想到要去看看，又覺得不妥，一直也沒有去成。去年到江西查訪，他下了最大決心，要去看望孤身學道十年的六弟。他藉口休息幾天，住到廬山腳下一個小旅店，把陪同的江西官員打發走後，在一個漆黑的夜裏，陳廣敷帶著溫甫下山來到旅店，兄弟會面，談了一個多時辰。所幸溫甫在廣敷的開導下，心境倒還安寧，給曾國藩很大的安慰。溫甫希望見見妻妾和兒子，他也答應了，只是一再叮囑不要洩露出去。還好，溫甫家眷在廬山住了半年，外人也不曉得。盡管如此，當著太后的面再次扯謊，他仍覺心虛。

「你從前在京，直隸的事自然知道。」問話的換成了慈禧太后。

他不知如何回答這個問題，稍停一下，說：「直隸的事，臣也曉得些。」

「直隸甚是空虛，你須好好練兵。」慈禧太后繼續說。

曾國藩明白了，原來調任直隸總督的目的，是要他來練兵。直隸能練出什麼好兵來呢？天下的好兵源只有湖南，湖南人卻又耐不了北方的苦寒和麪食。曾國藩不能接受這個任務，但又不能頂撞，只得委婉地說：「臣的才力弱，且精力日衰，恐怕辦不好。」

一語奏上去，許久不見回音，曾國藩的背又開始濕了。

「你跪安吧，明天再遞牌子。」慈禧太后終於說話了。

曾國藩趕緊叩頭跪安，托著帽子起身，一步步後退，直退到門簾邊，才慢慢轉身出門。

曾國藩走出養心殿，來到乾淸門時，只見丹墀上下和兩旁迴廊裏，早已聚集著上百名大小官員、太監，他們全都以驚異的目光遠遠地望著他，悄悄地交頭接耳，直到他走出景運門。

第二天又是巳正時，由當年輔政八大臣中唯一沒受懲處的六額駙景壽帶領，走進養心殿東暖閣。皇太后、皇上再次召見，問了問他的病情及造洋船的事。第三天，由僧格林沁之子襲親王伯彥訥拉祜帶領，在養心殿東暖閣第三次接受召見。慈禧太后詢問這些年來有哪些好的帶兵將領，又談起直隸練兵的事，要他實心實意去辦。

三次召見完畢，曾國藩感慨良多。皇上自始至終沈默不語，未出一字綸音。雖說年紀小，有母后作主，也可以不講話，但到底當了八年的皇帝了，幾句客套話總可以說得上。曾國藩想起先前在翰苑供職時，老輩翰林談起聖祖康熙爺來，人人崇拜不已。九歲登基，十二歲就親自裁決政事，十七歲除鰲拜集團，二十歲定削藩大計。正因爲有如此雄才大略的皇上，才有超邁漢唐的豐功偉績。而今國家多難，人心渙散，正需要一個能用强力扭轉乾坤的帝王，看來，十四歲的孱弱天子不是那號人物。

慈安太后問的話，全是閨閣中婦人的閑聊家常，可有可無，不著痛癢。慈禧太后號稱厲害，有關大事純系她一人發問，曾國藩認眞地把她三次召見所問的每句話都重新回憶了一遍，慈禧關心的是三件事：江南撤勇、湘軍將領及直隸練兵。他細細地琢磨著這三件事，將它貫穿起來，看出了慈禧的心思：把江南的勇都撤光，能打仗的將領帶到直隸，在直隸練出一支精兵來拱衛京師。至於召見之前，他所設想的主要事情，諸如江南的吏治鹽政、百姓的生活、人才的保舉以及捻戰平息後皖、豫、魯省的恢復，還有機器局的建設、如何抵禦洋人等等長治久安之策，幾乎無一句涉及到。是慈禧自私，心中只有她和她兒子的寶位？還是她的才具其實平常，不足以慮及到這些迫不及待的民生國計？曾國藩的腦子裏突然浮起李商隱的詩來：「宣室求賢訪逐臣，賈生才調更無倫。可憐夜半虛前席，不問蒼生問鬼神。」慈禧雖未問及鬼神，但也不問及蒼生。國家就掌握在這樣的太后、皇上手裏，能指望它四海安夷、國運隆盛嗎？他暗自搖了搖頭。

作爲大學士，既已到京師，表面上也得做出個到職視事的樣子。召見結束後的次日，曾國藩便至內閣到大學士任。他先到誥敕房更衣，然後在武英殿大學士公案前坐一下，又到滿本房裏看了一看，再進大堂。大堂裏橫列六張大書案。東面三張爲滿大學士的座位，西面三張爲漢大學士的座位。曾國藩在西面第一張書案邊坐下。立時便有內閣學士、侍讀學士、中書等數十人前來拜見。當值的侍讀學士送來兩個文件，曾國藩略爲瀏覽一下便簽了字。內閣名爲正一品衙門，位在六部之上，表率百僚，其實沒有大權，只在皇帝授意下處置一些日常政務。雍正時設立軍機處，又分出內閣大部分要事，於是內閣之權更輕，只辦理一些例行事務。正因爲這樣，內閣大學士和協辦大學士便可以成爲一種加銜，不必到任。

清承明制，大學士辦事的地方設在翰林院，於是曾國藩又到翰苑去了一趟。先在典簿廳更衣，次至大堂一坐，到聖廟行禮。再到典簿廳更衣後，到昌黎廟行禮，又到清秘堂一坐。翰林院學士、編修等分批前來叩見。曾國藩一一含笑作答。想起初進翰苑時未到而立，而今已近花甲了。歲月悠悠，時不我待，去日已多，來日苦短。當他走出翰林院時，心中湧起的是一股莫名的悵惘。

他回到賢良寺，案桌上的請帖已經堆了一尺多高。要在往常，他會基本上不予理睬，但這次不同。一來此爲京師重地，邀請者的地位大都顯赫重要，且京師最講應酬，又是勢利之藪，不能輕易回絕別人的邀請。二來離京多年，他也想借此機會與故舊見面，敍敍雲樹之思。他將相邀的帖子一一擺開，大致排了個日程，並吩咐紀鴻注意到時提醒。

這以後，他便是按日程所排去赴宴。有各科門生公請，有甲午、戊戌兩科同年公請，有直隸籍京官公請，有江蘇通省公請，有湖南京官公請，有倭仁、朱鳳標、瑞常三相同請，有文祥、寶鋆、李鴻藻、沈桂芬合請，有恭親王專請，還有周壽昌、吳廷棟、潘祖蔭、許仙屏等舊友的私請等等。每宴後必有戲，每天回寓所時都要到二更三更，弄得他疲倦不堪。

這天深夜，身上癬疾又發作了，癢得醒過來。他猛然想起，天天在權貴紅火中酬酢，冷落了一批已經衰敗下去的昔日師友，於心說不過去。其中尤有兩戶人家，至今未去拜訪，更是太不應該！

第二天，原定皖籍京官公請，曾國藩借病推脫。他換了布衣小帽，偷偷地來到當年的恩師權相穆彰阿舊宅。

穆彰阿自咸豐帝登基不久罷相後，便一直生病蝸居，直到咸豐六年去世。昔日相府煊赫一時的聲勢早已蕩然無存。兒子雖多，卻無一個成器，空蕩蕩的宅院裏冷冷清清，雜草叢生。宅子裏現住著第七子薩善、九子薩廉，一見到曾國藩，兩兄弟百感交集、涕淚滂沱，將他緊緊抱住。曾國藩問他們生活有無困難。薩善說：「蒙先父留下的微薄遺產，度日尚不難，只是近日完稿的先父年譜，則無資付剛。」

說話間，薩廉拿出一疊墨稿遞過來，說：「中堂大人如有空審閱修改，我們兄弟感激不盡。」

曾國藩接過墨稿翻了幾頁，心中愀然，懇切地說：「當年不是恩師提攜，國藩哪有今日！稿子我帶回去細細拜讀。若有商榷之處，我自會提出來，尤其是關於罷林文忠公和咸豐爺降旨這兩件事，文字上都要仔細斟酌才是。」

薩善說：「我們兄弟學識淺薄，這些地方文字上若有不妥，請中堂大人乾脆刪去重寫。」

曾國藩點點頭，問：「你們商量一下，恩師年譜要刻多少部？」

薩廉說：「我們兄弟合計過，光自家人就有三百餘口，先父生前門生甚多，至少要一千部才發得開。」

曾國藩無可奈何地笑了笑，說：「自家人保存不在話下，令尊生前的門生，至今尚有幾人與尊府往來？」

薩善、薩廉啞了口。

「兩位世兄真不懂世故，你好心送給他們，只怕他們還不想接哩！」曾國藩臉色淒然地說，「稿子我先帶到保定去，看後再送來，二位就在本宅雇人刻印五百部，一切費用，都由我出。」

薩善、薩廉感謝不迭。兩兄弟又陪著曾國藩到院子裏各處走了走。這些熟悉的房屋草木，勾起曾國藩心中萬縷悵意。繁華已矣，人去樓空，此情可待成追憶，只是當時已惘然。他終於受不了情感的沈重壓力，匆匆與薩善兄弟告辭。

出了穆府，他又雇了一輛騾車，悄悄來到絲線胡同塔齊布家。塔齊布兄弟三人，三弟先他死於咸豐四年，次弟又不幸在今年八月病逝。三兄弟皆無子，只存四女。塔母已八十歲。聽說曾中堂親自登門拜訪，老太婆柱著拐杖，顫巍巍地親到大門迎接，身後跟著一羣寡婦弱女。曾國藩一見，心裏甚是淒愴。他親自扶著塔母來到大堂，然後向老人家行子侄輩大禮，嚇得老太婆忙站起還禮。曾國藩深情地談起塔齊布和他一起創辦湘軍的艱難，稱讚他是難得的將才，勾起塔母對亡兒綿綿不絕的思念和家道中落的傷心，老淚縱橫，緊緊抓住曾國藩的手，一句話都說不出來。曾國藩很難過，安慰道：「老人家，國藩就好比您的兒子，待我安頓好後，再派人接您老人家去保定住。」

塔母使勁搖搖頭，終於開了口：「有你這句話，我死也心安了。只怪我兒子命薄福薄，不能長隨你這樣的好人。」

旗人婦女本來大方，塔齊布的夫人也不迴避曾國藩，這時拉著女兒跪在他的面前，泣聲說：「老大人，可憐塔齊布一生只有這點骨血，她一個女兒家自然做不了什麼，小時她父親爲她訂了一門親事，明年就要過門。求老大人看在她父親的分上，給小女夫婿謀一個差事。」說罷，想起丈夫來，不覺失聲痛哭，語不成聲地訴說著。

曾國藩實在不忍心聽她說下去，想了一下說：「一個月後，叫令婿到保定來找我。」

塔齊布夫人和女兒叩頭不止。見曾國藩如此慨然應諾，塔齊布次弟阿凌布夫人也忙過來，求道：「老大人開恩，苦命女人的大女兒後年也要過門，求老大人也給她的夫婿一碗飯吃吧！」

曾國藩頗覺爲難。多少湘鄉人，包括像南五舅兒子那樣的至親跑到安慶，跑到江寧，千求萬求，求他收留，他都沒有答應，爲塔齊布女婿謀個差事已是大大破例，這下又來一個，往哪裏安插呢？見曾國藩不開口，阿凌布的女人磕頭如搗蒜。塔母說：「曾大人，老身給您下跪了。」

說著就要起身。慌得曾國藩忙扶住，連聲說：「行，行，下個月一同來保定吧！」

塔母吩咐備飯招待，曾國藩說：「老伯母，國藩雜事多，不能久坐了。」說著從靴頁裏抽出一張硬紙來，雙手遞上去，「這是一千兩銀票，您老人家收下，就算是國藩的一點孝敬。」

塔母又流下淚來，推辭幾下後收了。

從塔齊布家裏出來，曾國藩心頭沈重：曾任提督的滿人塔齊布身後尚且如此蕭條，那二萬多名陣亡的中下級軍官和普通湘勇的遺孤不是更可憐嗎？

四　終生榮耀到達極點的一天

轉眼年關到了。內廷太監送來慈禧太后親自寫的「福」字十張，又有各色絹箋四十張、湖筆三十枝。這有個名目，叫做春帖子賞，只有內廷王大臣、軍機大臣、弘德殿、上書房、南書房、大學士才有資格得到。受賞的大臣每人都有十張「福」字，名為兩宮太后親筆，實際上慈安太后從來不握筆寫字，慈禧太后也沒有這麼多精力每張都寫，絕大部分都是請翰林院或上書房的學士代筆。頒賞的大太監對曾國藩說：西太后講，送給別人的可以請人代筆，送給曾國藩的必須親寫。曾國藩忙命紀鴻端出一百兩銀子酬謝大太監，並請他轉達對西太后格外鴻恩的感激。

元旦這天，曾國藩早早地進了紫禁城，和百官一起，先隨同皇上行慶賀皇太后禮。皇上在慈寧門行禮，曾國藩和其他一二品大臣在長信門外行禮。然後在太和殿朝賀皇上。到了燈節這天，曾國藩又隨皇上宴請蒙古、高麗各藩王。正月十六日，才是皇上宴請廷臣的日子。這是曾國藩一生榮耀到達極點的一天。

布置一新的乾清宮比往日更加莊嚴堂皇。在清朝歷史上，這裏曾舉行過兩次名宴。第一次是康熙六十一年，中國自有皇帝以來在位最久的康熙大帝辦的千叟宴，宴請六十歲以上的老人一千多位。第二次在乾隆五十年，號稱十全老人的乾隆爺已七十六歲。他雅興特高，辦的千叟宴，出席者竟達三千多人，除大臣、中小官員外，還有平頭百姓，甚至還有匠役參加。宴會後，每人還被賜拐杖一根。雖耗資巨大，卻也爲兩朝皇帝贏得了敬老尊賢、與民同樂的美譽，同時也使得乾清宮的宴席身分大大提高。每年的元旦、元宵、端午、中秋、重陽、冬至、除夕、萬壽等節日，乾清宮照例有大宴會，參加者都感到很榮幸。咸豐以來，國家多事，宮中的大宴大多取消，僅保留燈節和萬壽節兩次。因而正月十六日的大宴廷臣，便越發顯得隆重。乾清宮的宴會，曾國藩過去出席過多次，但那時他只是侍郎，聊陪末座而已。今天，他作爲漢大學士的領班出席盛宴，這只有清一代人臣所能享受到的最高禮遇。盡管曾國藩早已告誡自己要將功名利祿看淡，但他仍抑制不住激動，因爲這畢竟是千千萬萬人所羨慕不已的殊榮，也是他自己幾十年來夢寐以求的地位。

午正二刻，皇上出來了，韶樂高奏，百官一齊跪下，三呼萬歲。待皇上在一大羣宮女簇擁下從正門走進乾清宮，升上寶座後，執事太監出來導引百官。滿員由倭仁帶領，從左門進；漢員由曾國藩帶領，從右門進。左門進的滿員一律坐在東邊，面向西。倭仁坐第一位，文祥第二位，寶鋆第三位，全慶第四位，載齡第五位，存誠第六位、崇倫第七位。倭仁之後的六人均爲六部滿尚書，尚書之後坐的是各部滿侍郎。從右門進的漢員一律坐在西邊，面向東。曾國藩坐第一位，朱鳳標第二位，單懋謙第三位，羅惇衍第四位，萬青黎第五位，董恂第六位，譚廷襄第七位。曾國藩以下六人，皆爲六部漢尚書，尚書以下爲各部漢侍郎。桌爲一長條形几案，高一尺二寸，入席者先按預先指定的次序升墊，然後轉過身去對著皇上叩首，再轉過身盤腿坐好。

太監開始上菜了。先是給皇上上。一長串太監一人奉著一碗菜，恭恭敬敬地走上來，輕輕地放到桌面上，然後再躡手躡腳地離開。一道道菜光彩奪目，弄得大家眼花撩亂，都不敢細看。直到碩大的桌面上擺得滿滿的才停止，一共一百零八碗。再給臣子們上，這些菜大家都看得清楚，最先上的是四個高腳掐絲琺瑯龍紋大碗，碗內裝著四樣珍稀：長白山熊掌、思茅鷹孔雀肉、打箭爐牦牛肉、敦煌駝峯。接下來是八大碗，一色的黃釉雙龍牡丹紋碗，分裝雞、鴨、魚、肉、燕窩、海參、方餑、山楂糕。然後是每人一小碗白米飯，一碗雜膾。雜膾裏有荷包蛋、豬內臟、粉條等。待到這些上齊之後，倭仁和曾國藩各自在東西兩邊車轉過身，面對著皇上。這時，乾清宮內所有領宴的官員也一律車轉過身子，先叩一個頭，再一齊高呼：「謝皇上聖恩，祝皇上萬歲萬歲萬萬歲。」小皇帝在寶座上略爲點點頭。大家的身子又轉回來，開始吃著分發給每人的一小碗飯和雜膾，至於擺在眼前的那十二大碗菜，人人都知道是做樣子的，誰都不去動它。這時，四喜班的戲子登堂演出了。在絲竹歌舞中，皇上毫無表情地端坐著，桌上的玉箸金碗未曾動一下；東西兩邊盤坐的滿漢官員誠惶誠恐地低頭嚼飯喝湯，盡量不發出一絲聲響來。這便是天子與百官共度元宵佳節。雖然緊張乏味至極，遠不如在自己家裏與妻妾兒女共享天倫的快樂，但有幸與天子共餐，乾清宮裏所有領宴者，莫不感到無上榮耀，無上光彩！

太監們開始進來換菜了。八個大太監走上台，來到皇上身邊，把一百零八碗原封未動的菜輪流撤下，再換上一百零八個碟子，碟子上放著數不出名目的菜肴果品。在百官面前，則是每兩個太監一組，把長几抬出，又換過一條同樣的長几。几上放著果碟五個、菜碟十個。曾國藩定睛看了一下，碟子裏的東西都很普通，無非是梨棗橘餅、薰烤燜炒之類。兩旁廊廡裏重又奏起廟堂音樂，戲子們下去，領班大學士要向皇上領酒了。

往常都是由首座滿大學士祇領，今日破例，慈禧太后欽命曾國藩祇領。曾國藩起身脫去外褂，左手拿著一把銀製小酒壺，右手端著一只碧玉酒爵，畢恭畢敬地走到皇上面前，把壺與爵放在桌上，然後退下去，走到殿中央，跪下來。皇上身邊一個地位很高的大太監代替皇上向銀壺倒酒，再端起銀壺注酒於玉爵，隨後提著銀壺和玉爵走到曾國藩身邊。曾國藩站起，雙手從太監手裏接過玉爵，小飲一口，再跪下，叩首，高聲唸道：「謝皇上賜酒！」於是起身，端起銀壺玉爵回到座位。就在同時，東西兩邊長几上每個官員的面前都擺上了一個小酒壺和一個注滿酒的小酒杯。

曾國藩來到座位上，轉身面對皇上，率領百官又一次念著：「謝皇上賜酒！」各人把杯中的酒都喝了一口。四喜班的戲子又上來了。大家一邊看戲，一邊飲酒。太監們陸續給每人上奶茶一碗、湯圓一碗、山茶飲一碗。

宮門外，皇上的賞賜已分堆擺在桌上。每一堆上都有一張紅紙條，寫著受賞者的名字。這便意味著宴會將要結束。倭仁和曾國藩對望一眼，遂一齊起身，率領東西滿漢官員魚貫而出。太監將賞物送來，各人接過賞物後，又面對著皇上寶座跪下，叩三個響頭。曾國藩領的賞物是：如意一柄、瓷瓶一個、蟒袍一件、鼻煙壺一瓶、江綢袍褂料二幅，與倭仁以及其他滿漢尚書的賜物一個樣。

回到賢良寺，他全身都散了，癱坐在椅子上久久不能起身。作漢大學士領班出席乾清宮宴，誠然是至高的榮譽，不過這種榮譽所帶來的激動，在宴會進行到一半時便消失殆盡，令他深深不安的是皇上的表情。皇上仍然是一語不發，冷漠呆板。在送酒爵到皇上身邊時，他趁機仔細地看了一眼。這次他看得非常清楚：皇上不僅瘦弱，且兩眼憂鬱乏神。當時不能多想，現在回憶起來，他心裏冒出一股冷意：這決不是一個天縱睿智的聖賢之主，且很可能不得永年。他想起則天女皇卵翼下的幾個天子均懦弱無能，國政一決於女主，最終弄得天下不安的歷史教訓，心中悲涼地嘆息：大清王朝這條在風雨中僥倖免於傾覆的破船，今後將要被貪權而無才具的太后、孱弱而不諳世事的皇帝駛向何處呢？

元宵節後不久，曾國藩便來到了保定任所。

直隸最大的民事在永定河水患。二十多年前唐鑒送的《畿輔水利》起了作用，曾國藩按圖索驥，對境內的主要山川作了一番實地查勘，嚴督河道清淤築堤。又調長江水師總兵彭楚漢來直隸訓練新兵。

夏初，曾紀澤奉母親及全家來到保定。曾國藩見夫人兩隻眼睛變得昏昏蒙蒙的，大白天都幾乎看不見東西，關切地問：「半年不見，你的眼睛如何壞得這樣厲害？」

歐陽夫人流下淚來，抽抽泣泣地告訴丈夫：「紀靜春間在湘潭病故了，這眼睛是哭她哭壞的。」

「大妹子她——」曾國藩驚得手中的書掉到地上。他怎能相信這事是眞的，未滿三十歲的女兒怎麼能先於父母而走？他頹然坐著，心裏滿是內疚。對於女兒的早逝，作父親的有責任。

紀靜不滿三歲時，便由父親作主，許給翰林院編修湘潭袁芳瑛的長子袁秉楨。袁秉楨那年五歲，長得活潑可愛。剛進京不久的歐陽夫人正苦於京師沒有親戚，便也欣然答應。紀靜二十一歲上完的婚，嫁過去後才知道，袁秉楨早已在家娶了妾，紀靜哭得死去活來。未婚而先娶妾，這意味著袁家沒有把他這個兩江總督的姻親放在眼裏，曾國藩雖然憤怒，但也無法挽回。回門時，紀靜硬是不肯再去袁家了，歐陽夫人憐恤女兒，也不催她走。曾國藩知道後，一連幾封家信寫回去，催女兒回婆家，說討妾也不是一件很壞的事，今後只要妾能知禮就行了，應速回婆家侍姑盡孝；還說每見世上有貪戀娘家富貴而忘其翁姑者，其後必無好處。紀靜無奈，只得回湘潭。袁秉楨惱羞成怒，索性成天和妾在一起，把紀靜冷落在一邊。

後來，歐陽夫人見他們夫婦不和，心裏著急，趁曾國藩在外與撚軍打仗的時候，將女兒和女婿接到江寧城。誰知袁秉楨惡劣成性，不思悔改，以總督女婿的名義在江寧到處借錢騙錢，又嫖娼聚賭。爲不受監督，又在外租房，不住督署內，甚至過年時也不進署向岳母拜年。曾國藩得知後，一封家書寫來，將袁秉楨狠狠地訓斥一頓，令巡捕將他趕出江寧，不再承認這個女婿。歐陽夫人對丈夫的決定沒有意見，只是希望女兒不再走了，和她一起住江寧。對於這個要求，曾國藩堅決不同意。他要女兒遵循三從四德的古訓，嫁夫則隨夫，夫不好則規勸，規勸不過來也只得認命苦，哪有長住娘家的道理！硬是逼著女兒哭著離開江寧到湘潭袁家去住。紀靜生性軟弱，又加之以後袁秉楨有意虐待，可憐一個侯門之女，便這樣活活地被袁家折磨死了，留下一個三歲的女兒無人愛撫！

曾國藩想到這裏，傷心地流下淚來，後悔那年不該逼女兒走，是自己橫蠻地把女兒推到了絕路。爲表示對女兒的懺悔，曾國藩當即作書給袁芳瑛，要他派人將外孫女送到保定來。外祖父要以加倍的慈愛，撫養失去母親的小外孫，以彌補往昔的虧欠。

從這以後，曾國藩右目完全失明了，左目也僅剩微光，精力更衰弱，常常白日打瞌睡，腦子無緣無故地會突然出現一陣眩暈。江蘇巡撫丁日昌得知後託人送來一樣東西，專爲治眼病的，名曰空青。是一枚雞蛋大小的黑色石頭，搖搖可聽見裏面的水響，取出裏面的水來點眼睛，只要眼未全封閉均可復明。曾國藩和夫人每日用此水點目，卻並不見效果。無奈，他上奏請假一個月，以便安心吃藥養病。朝廷同意。就在這個時候，天津城裏爆發了一場震驚中外的大事。

五　火燒望海樓教堂

同治九年，天津府遇到多年未有的大旱。過年之後，天老爺就再未下過一滴雨雪，地裏的莊稼瓜菜都被乾得蔫蔫答答的。農民們累死累活，挑水抗旱，靠近河邊的地方，還能夠撈得四五成，缺水處只能撿得一二成，不少村莊幾乎顆粒無收。本就貧困艱難的百姓，遭遇到這樣的年景，日子過得更加悲慘。成千成萬的人背井離鄉，出外討吃，許多人湧進了天津城。乾旱使得物價騰漲，米珠薪桂，再加上飢民蜂湧，城內愈發人心囂浮，到處都是騷亂不安，搶劫鬧事鬥毆死人每天都有發生。入夏以來，又奇熱無比。一個古老的天津城，彷彿成了一座一觸即爆的火藥庫。

海河北岸，從威遠碼頭至柔遙碼頭，近幾年來矗立了許多古怪的房子，它們都是洋人在這裏興建的，有俄國的，美國的，英國的，比利時的，其中尤以法國在獅子林橋旁邊建造的天主教堂更爲引人注目。這座教堂是去年建成的，法國人叫它聖母得勝堂，當地老百姓則叫它望海樓教堂。教堂有三層樓房，青磚木結構，前面配有三座塔樓，呈筆架形，內部並列庭柱兩排，內窗券爲尖頂拱形，嵌著組成幾何圖案的五彩玻璃，地面砌著瓷花磚。整個天津城，再也找不出第二棟這樣華麗的建築。旁邊是教堂辦的育嬰堂。專門收養些無父無母的孤兒，離教堂不遠處是法國領事館。一年四季，法國教堂和育嬰堂的大門都緊緊地關著，偶爾進出的幾個人，則從小門通過，樣子顯得既神秘又鬼祟。除禮拜天可以聽到從裏面發出的唱詩聲和祈禱聲外，平素安靜得出奇。天津百姓對這座陰森的教堂既恐懼又厭惡。往常，人們只是懷著複雜的心情遠遠地觀望，不敢靠近。入夏以來天津城裏流民驟增，到處都是閑得無聊的人羣。聽說洋人有錢，又愛施捨，便有不少人湧向這處洋人居住地，企望得到些意外的好處。

這天半夜，睡在威遠碼頭河堤的靜海農民馮瘸子被蚊子咬醒，加之肚子又餓，再也睡不著了。他掏出別在腰帶上的煙桿，往煙鍋裏塞了一點老煙葉，又摸出兩片火石敲著，抽起悶煙來。他今年三十出頭了，小時害病無錢醫治，弄得瘸了一條腿。體力差，幹不了農活，便學了一個箍桶修桶的手藝勉强糊口。家貧也娶不起媳婦，至今單身一人。家鄉鬧旱災，無人請他做手藝，他就來到天津城。馮瘸子爲人正直，他並不想從洋人那裏得到什麼恩賜，他對洋人有一種說不出名目的本能的仇恨。他來到這裏，是被表弟田老二拉的。田老二也住海河北岸，雖是莊稼人，卻不務正業，一年到頭靠販一點騙一點偷一點過日子，今年二十五六歲了，也沒有婆娘。田老二把表兄拉到教堂邊，讓表兄開開眼界，自己卻有個小打算：興許能碰巧了，從洋人那裏弄點分外財。田老二有個朋友，姓王，沒有名字，也沒有父母，十八九歲了，卻長得跟小孩子樣，成天跟著別人瞎混，大家叫他小混混。這一個多月來跟著田老二混，田老二叫他做什麼，他就做什麼。田老二得到點好處，也分他一點。這時他們倆睡在馮瘸子旁邊，呼嚕打得山響。

忽然，馮瘸子發現育嬰堂的大門開了，裏面點著上百只小白蠟燭。藉著燭光，可以看見地上整整齊齊擺著三排用白布包裹著的物體。那物體長長短短不一，都在三至四尺之間，寬約一尺左右，每排約有十幾件。一個洋牧師在這些白布包的物體面前走了一圈，右手在胸前畫著十字。一會兒，走出三個人來，每人背一個白物體走出大門，把那白物體一件一件地往停在坪裏的馬車上扔。馮瘸子猛地一驚：育嬰堂裏住的是小孩子，這白布包的是不是小孩屍體呢？他忙推醒田老二和小混混，二人坐起，揉著惺忪的眼睛，呆呆地看了很久。

「不錯，白布裏包的是小孩。」田老二肯定地說。

「洋人要把這些小孩屍體運到哪裏去？」小混混問。

「還不是運到義冢去。」田老二懶洋洋地答了一句，又重新躺下。

馮瘸子抽著煙，憤慨地說：「我早就聽人說過，洋人把我們中國小孩子騙進育嬰堂，再活活地把他們弄死，挖下他們的眼睛，剖開他們的胸膛，取出五臟六腑出來做藥引子，這些小孩子肯定是被這些狗强盜弄死的。媽的，這些吃人肉的魔鬼！」

馮瘸子把煙鍋狠狠地往石頭上敲。小混混說：「馮大哥說的對，洋人半夜三更運屍，這中間一定有鬼！」

「算了吧，關你啥事，睡覺吧！」田老二打了一個呵欠，轉過身去，又睡著了。

小混混又看了一會兒，也躺下睡著了。馮瘸子兩眼死盯著前方。半個鐘頭後，全部白布包件都運到馬車上，大門重新關閉，馬車走了，一切又恢復原來的寂靜。他心裏默默記下了，那白布包一共有三十五件。

馮瘸子再也不能安睡了，他心裏充滿著對洋人火一般的仇恨。怎能容許他們如此宰割中國人？怎能容許他們在中國的土地上如此胡作非爲？他想明早一定要去府縣衙門告一狀。轉眼又想當官的都怕洋人，也不把百姓的性命放在心上，告也無用。他想起早兩天結識的朋友劉矮子，據說是水火會的。水火會有好幾百人，專打抱不平，爲民除害，明天何不去告訴劉矮子呢！

第二天，馮瘸子對劉矮子揭露了育嬰堂的秘密。劉矮子氣得哇哇大叫：「這些狗養的洋鬼子，老子要踏平教堂，把他們全部殺光宰絕！走，咱們先去見徐大哥。」

徐大哥就是水火會的首領徐漢龍。徐漢龍祖籍天津，三代都是海河邊的鐵匠，人長得膀大腰粗，又從小跟父親學了一身好武藝。父親死後，他接替父親成了水火會的頭領。水火會是以海河邊的貧苦手藝人、腳伕爲主要成員的民間幫會，以互幫互助、濟危扶困爲宗旨。窮人最需要的就是幫助，加之徐漢龍豪爽仗義，故水火會在天津深得人心，除腳伕、匠人外，不少人力車伕、小攤販以及流落津門的年輕漢子也都加入水火會。今年來社會上哄傳法國教堂拐騙小孩、挖眼剖心，徐漢龍和水火會的人聽了大爲憤怒，揚言官府若不管，水火會則要替百姓報仇了。

近幾天，不斷有婦女哭哭啼啼來找徐大哥，說她們的孩子丟了，八成是被教堂拐騙去了，向徐大哥磕頭作揖，求他設法找找孩子。昨天幾個百姓扭送一個名叫武蘭珍的人來水火會，徐漢龍剛要親自審訊，劉矮子帶著馮瘸子進來了。

聽完馮瘸子的控訴，徐漢龍這個血性漢子再也按捺不住了，高聲叫道：「平日苦於沒有罪證，昨夜的事就是最好的罪證。待我審了武蘭珍，一同去見張知府。」

武蘭珍被押上來了。此人約摸四十上下，又高又瘦，極像一根豆角。

「武蘭珍，老子問你，你要從實招供！」徐漢龍粗大的巴掌往桌上猛力一擊，對著武蘭珍大吼。武蘭珍嚇得直打哆嗦。「武蘭珍，你是哪裏人？」

「我是天津人，家住楊柳青。」武蘭珍臉色煞白。

「你在城裏住了多少年，一向做的什麼事？」

「我是今年開春才進城的。遭旱，地裏沒有收的，只得到城裏來混口飯吃。沒有別的事可做，熬點紅薯糖賣。」

「武蘭珍！」徐漢龍又起高腔，「你爲什麼要在紅薯糖裏放迷魂藥，坑害小孩？」

武蘭珍兩條腿打起顫來，臉色白裏泛青，本來就長得難看的五官，愈加顯得醜陋。他呆在那裏，好一陣子沒有開口。突然，雙膝一跪，嚎啕大哭：「大龍頭，我沒有放迷魂藥。我從實招供，我那製糖的紅薯裏有的發爛發霉了，小孩吃了，頭暈拉肚子是有的，不過我沒放迷魂藥。我哪來的迷魂藥啊！」

徐漢龍憤怒地望著他，罵道：「你這個該油炸火燒的漢奸鬼，都說你被洋人買通，放迷魂藥在糖裏，坑害小孩子。你還要爲洋人掩蓋罪行嗎？老子警告你，你若老老實實交代，我免你一死；你若再這樣賴下去，老子立刻亂棒打死你去餵狗！」

門外，早已裏三層外三層圍滿了人，亂七八糟地高喊：「打死這個狗東西！」「沒人心的漢奸鬼！」「該千刀萬剮！」

武蘭珍嚇得癱倒在地，胡亂地朝徐漢龍、又朝門外的人羣磕頭，叫道：「大龍頭，三老四少，爺們哥們姑奶奶們，請饒命，饒命，我家裏還有瞎了眼的八十歲老娘，有老婆孩子一大堆，饒了我這條小命吧！」磕了一陣子頭後，又邊哭邊叫，「我招，我招，我從實招供，是天主堂的人要我放迷藥到糖裏，小孩子吃了，就會自動投到育嬰堂。」

門外的人一齊起哄，嚷道：「洋鬼子可恨，咱們宰了他！」

徐漢龍又問：「武蘭珍，天主堂哪個給你的藥？」

武蘭珍摸著頭，想了半天，說：「王三。」

「王三在哪裏給你的？」

「在教堂左邊鐵門前給我的。」

門外又有人喊：「把王三那狗養的抓起來剝皮抽筋！」

「武蘭珍，你和我一起去見知府張老爺，對張老爺再講一遍。」

「大龍頭，我不去。」武蘭珍心虛起來。

「你為何不去？」徐漢龍鼓起眼睛望著他。

「我怕見官老爺。」

「你這個沒用的癩皮狗！」徐漢龍踢了武蘭珍一腳，喝道，「起來，跟老子走。有老子在，你怕個鬼！」

「徐大哥，不要去見姓張的，他跟洋鬼子穿一條褲子。」劉矮子過來，一把抓住徐漢龍，說，「知府衙門的門房就是教民。上次一教民與百姓爭吵，門房對姓張的說百姓無禮，姓張的就馬上將百姓枷號示衆，教民沒一點事。這樣的知府找他做啥？」

徐漢龍說：「不管怎樣，他總是這裏的父母官，先跟他說，他不理，咱們再行動也不遲，免得日後讓他鑽空子。」

「徐大哥，我跟你一起去見張知府。」門外看熱鬧的人中走出一個駝背青年人。他姓羅，大家叫他羅駝子。羅駝子走到徐漢龍面前，說：「我昨天下午路過義冢，見一羣狗圍在那裏。我抄起一根棍子把狗趕開，看到那裏躺著三個小孩屍身，胸膛全是開的，心肝肚肺都沒有了。哪裏去了，肯定是洋鬼子挖去了！我和你一起去見張知府作證。」

「好！你這是親眼所見，鐵證如山。」

在門外數百人的跟隨下，徐漢龍、劉矮子、馮瘸子、羅駝子，再加上武蘭珍，一齊來到天津知府衙門。

近一段時期來，關於法國天主教堂迷拐小孩、挖眼剖心的傳聞越來越厲害，越來越離奇。有的說教堂裏有幾大缸眼珠子，都是用來化銀子的，有的說洋人用小兒心肝蒸雞吃，爲的是求長生不老等等。知府張光藻早有所知，僚屬們也勸他過問過問，他卻裝聾作啞，不聞不問。

張光藻有他的苦衷。十多年來，全國各地教案迭起，開始鬧得轟轟烈烈，懲辦了作惡多端的傳教士和教民，有的還砸了教堂。結果呢？無一處不以中國人的失敗而告終。洋人憑藉武力恐嚇中國，朝廷怕事情鬧大，吃更大的虧，總是偏袒洋人，道歉賠錢，殺自己的同胞，處理自己的官員，才換得洋人的寬恕。前些年，貴州百姓與法國傳教士發生衝突，巡撫、提督因參與其事，結果巡撫交部嚴議，提督革職發配新疆。這大的官，在法國人的要挾下，朝廷都保不住，何況一個區區五品知府？張光藻年近花甲，從衙吏做起，整整在官場混了三十八年，費了多少心機，賠了多少小心，才升到如今的職位。只要不出事，過兩年就可以榮歸故里，安度晚年，這一輩子也可以過得去了。倘若因得罪洋人而丟官，划得來嗎？當然也可以採取另一種態度，那就是跟洋人一個鼻孔出氣，狼狽爲奸。張光藻也不願如此。一來遭人唾罵，二來作爲一個中國人，他多多少少也對洋人的作爲有所不滿，太昧良心的事他不幹。因此，他有意雇請一個教民做門房，藉教民與洋人拉上關係，津民罵教會、仇洋人的事，一般他也不理睬。他腳踏兩邊船，只求不出亂子，平平安安到致仕。

衙役進來報告，說有人前來告教堂的狀。張光藻忙揮手說不見，後聽說是水火會的頭領徐漢龍來了，他有點怕了。水火會勢力大，徐漢龍更是一個豪傑，得罪了他們也不好辦，只得勉强出來接見。聽了馮瘸子、羅駝子的稟告和武蘭珍的供詞，張光藻心裏想：馮瘸子是夜裏遠遠看見白布包，即使是眞的小孩屍體，他也未見那些屍體有無眼珠心肝。至於義冢堆裏的小孩屍體無內臟，也有可能讓狗吃掉了。倒是武蘭珍說的教民王三親給他藥的事，可以對證一下。衙門外已圍了上千人，若這次再不出面，會引起公憤，不如隨他們到教堂去一下，也可以塘塞人口。剛要起身，又想：自己雖是知府，上面還有道員，若拉著周道台一起去，今後不管出了何事，自己的責任就小多了。

張知府主意已定，對徐漢龍等人說：「天津士民紛傳法國教堂迷拐小孩，本府一直記掛在心，已派多人四處查訪。現在武蘭珍供出迷藥系教民王三所給，抓住王三後，事情就可以弄得水落石出了。但事涉法國，非同小可，稍有不愼，便要出大亂子。四川酉陽百姓與法國傳教士發生衝突，百姓已死一百四十多人，傷七百多人，至今尙未結案，可爲前車之鑒。現在本府和你們一起去見道台周大人，也請他放駕和我們一起到教堂去對證。」

徐漢龍覺得張光藻的話也有道理，便和馮瘸子等人跟著知府藍呢轎後一同到了天津道衙門。張光藻吩咐徐漢龍等人在門房等候，自己單獨進去會見周道台。

天津道員周家勛聽完張光藻的陳述後，摸著尖下巴沈吟半天，說：「張太守，此事太重大了，弄不好，你我都擔當不起，現在有三口通商大臣崇侍郎在這裏，他是滿員，又與洋人打交道多年，我們何不請他出面？」

「大人高明！」張光藻從心裏佩服周家勛的老成持重，「那我們現在就去請崇侍郎。」

「慢著！」周家勛說，「眼下衙門外人情洶洶，最易出事，怎麼能請崇侍郎到教堂去？你要徐漢龍等人回去，單留下武蘭珍。今晚我們兩人一起去見崇侍郎，明天再帶武蘭珍去教堂對證。另外，你告訴百姓，叫他們各安本分，官府正在調查，不要傳謠信謠。」

到底是進士出身的道台，慮事處事又要周到穩妥幾分，張光藻完全同意周家勛的安排。

三口通商大臣崇厚是個官運亨通的人，三十五歲便以兵部左侍郎的身分出任此職，在這個寶座上一坐十年。他與洋人關係極爲深厚，在國人與洋人的糾紛衝突中，他一貫站在洋人的立場上。他決不相信法國教堂有挖眼剖心的事，他願意親眼看武蘭珍與王三的當面對質。

徐漢龍回去後，立即通知水火會的人，明天都到教堂去，若洋人不認罪，則使點顏色給他們看看。水火會的人早就憋了一肚子怒火，一聽這話，人人歡喜雀躍。馮瘸子也把此事告訴了田老二。田老二暗自高興：明天可以趁火打劫。他又連夜通知他的一班朋友小混混、項五、張國順、段起發，要他們都做好準備。

第二天，三乘大轎抬到了天主教堂大坪，後面跟著幾個兵弁，押著武蘭珍。教堂牧師夏福音開大門迎接。夏福音笑容滿面地說：「諸位大人老爺們來此有何貴幹？」

張光藻說明了來意。

碧眼金髮的夏福音大笑，操著流利的中國話說：「這位武兄弟想必是弄錯了，我們教堂裏沒有一個叫王三的教民。教堂裏有四位法國傳教士，十三位中國教民，另有三個中國工役，連我在內一共二十人。現在都可叫齊，這位武兄弟當面來認，看哪個是給你迷魂藥的王三。」

夏福音泰然自若的神態，使張光藻暗暗吃驚。他瞟了一眼武蘭珍，只見那傢伙臉紅一陣白一陣，緊張極了。一會兒，教堂裏的二十個人都到齊了。夏福音依然笑容可掬地說：「武兄弟，你來認吧！」

武蘭珍戰戰兢兢地走過去，從第一個看到最後一個，又從最後一個看到第一個。最後，頹喪地搖搖頭。

夏福音又笑道：「諸位大人老爺，我們法蘭西帝國的傳教士到貴國來，是爲了傳播上帝的福音，拯救世人的靈魂，在貴國建育嬰堂，醫院、講書堂，全都是爲貴國人民做好事。主對我們說，全世界的人，不分國家，不分民族，不分貴賤，不分男女，都是兄弟姊妹，應該相親相愛。我們既是傳播福音、爲貴國造福的人，又怎麼會做那種傷天害理的事呢？貴國的聖人孔老夫子說得好：『己所不欲，勿施於人。』我們自己的眼睛不願被人挖，胸膛不願被人剖，又怎麼會去挖別人的眼、剖別人的胸呢？且武兄弟說的教堂左邊的鐵門這句話也不對。教堂左邊根本沒有門，右邊的小門也是木的。教堂沒有鐵門。這位武兄弟可能中了妖魔的邪。」夏福音說著，走到驚恐萬狀的武蘭珍面前，念念有詞：「萬能的主呀，你消除他心中的邪惡，救救他的靈魂吧！啊，主，阿門！」

夏福音這番話，弄得幾位大人老爺目瞪口呆，再也說不出一句話來。崇厚氣得拂袖而起，以手指著武蘭珍的額頭，罵道：「王八羔子，回去再跟你算帳！」轉臉對夏福音拱拱手，「對不起，打擾了。」說罷，也不同周家勛、張光藻打聲招呼，便氣沖沖地從教堂裏走出來，鑽進轎中。周家勛、張光藻也只得訕訕告別。

這時，教堂外圍觀的百姓已成千上萬，吆喝聲、呼叫聲、咒罵聲匯成一片。徐漢龍從人羣中衝出來，抓住張光藻的轎桿問：「張太守，洋人認罪了嗎？」

張光藻苦笑著說：「大家都散開回去吧，武蘭珍認錯了人，教堂裏沒有王三。」

他邊說邊進轎，吩咐趕快回衙門。徐漢龍氣得大罵：「這班無用的軟骨頭，昏官！」

這時教堂裏走出一個中國教民來，雙手叉腰，對衆人高喊：「武蘭珍誣陷好人，敗壞教堂名譽，不得好死，你們還圍在這裏幹什麼？」

徐漢龍衝過去，伸手打了他一巴掌，怒罵：「你這條洋人的哈巴狗，白披了一張中國人的皮！」

那人捂著臉，叫道：「你打人！」

「打你又怎麼樣？你這個炎黃子孫的敗類，老子還要宰了你！」徐漢龍威嚴地站在那個教民的面前，猶如一個正義在握的審判官。

劉矮子帶著水火會的人高喊：「惡狗！」「奴才！」「打死這個漢奸鬼！」

那教民嚇得忙逃進教堂，把大門緊緊關上。圍觀的人們紛紛向教堂和育嬰堂丟石頭，丟垃圾。看熱鬧的人越來越多，興趣也越來越大，人們都希望把事情鬧大。大部分人是想藉此煞一下洋鬼子的氣焰，出一口多年積壓在胸中的不平之氣。也有不少人活得百無聊賴，欲藉此尋點刺激，讓生活增加些花色。還有些青皮無賴，最怕的是天下不亂，他們就得規規矩矩，最盼的就是社會混亂不堪，他們好來個亂中得利。

教堂外人羣的喧鬧早已驚動了離此不遠的法國領事館，領事豐大業像一頭受傷的野獸，在大廳裏咆哮狂怒。這個對拿破崙崇拜得五體投地的法國外交官，自以爲是上帝的高等子民，仗著背後强大的軍事力量，在中國的土地上有恃無恐。在他的眼裏，中國貧窮落後，中國人愚昧野蠻，他對各地反法國教會的民衆鬥爭恨之入骨，一向主張血腥鎭壓，以維護法蘭西帝國的威嚴，保證天主教在中國的傳播暢通無阻。此刻，他見教堂外的人羣越來越多，吵鬧聲愈來愈大，暴怒已極。

「天津的地方官呢？他們都躲到哪裏去了？」他指著身邊的秘書西蒙喝問。那神情，彷彿他就是節制天津道府的直隸總督。

「剛才接到報告，知府張光藻、知縣劉杰都已派兵出來鎭壓了。」身穿筆挺西裝的西蒙回答。

「派了多少兵？」

「一百多。」

「豬羅！」豐大業粗魯地罵道，「天津府縣都是一批豬羅。教堂外鬧事的有幾萬人，百多兵起什麼作用！何況中國的兵都是無能的膽小鬼。」

「是的。」西蒙應聲，「不過，他們在自己的老百姓面前，膽子並不小。」

「崇厚這個滑頭，爲何不出面？他的洋槍隊爲何不派出來？」

「崇厚先到過教堂，現在回署去了。」

「備車！」豐大業命令，「你和我一起，立即到三口通商衙門去見崇厚！」

崇厚穿一件月白亮紗衣，拿著一把精美的湘妃扇，正在他的珍藏室裏欣賞他的寵兒——西洋鐘錶。崇厚的珍藏室，幾乎就是一個鐘錶店，各色各樣的西洋鐘錶擺滿了一屋子，精光耀眼，琳琅滿目。崇厚一有空，就會來到這間屋子裏，這個鐘看看，那個錶摸摸，心裏喜洋洋的，看到得意處，他會對著鐘錶哼幾句京劇。此時的崇厚，就完全沈浸在一片愉悅之中。上個月，一個比利時商人送給他一座特別的自鳴鐘。這座鐘有半人高，通身以珐琅裝飾，且鑲金嵌玉，顯得十分的珠光寶氣。這還在其次。最妙的是下半部分有四個全裸金髮西洋女郎，那些女郎形體造得千嬌百媚，就像幾個縮小了的眞人。每到整點時，鐘裏發出噹噹的響聲，四個女郎便在原地翩翩起舞，把個崇厚樂得心癢癢地，恨不得把這些洋菩薩都摟在懷裏。崇厚沒有虧待那個商人，給他以最優惠的待遇：凡他的船進天津港時不予檢查。崇厚將這座鐘放在珍藏室的正中。每到整點時，他便扔掉手中的公務，急匆匆地跑進珍藏室，興致盎然地看洋女子跳舞。

崇厚正看得出神，一個服飾鮮美的家人走到他的身邊：「大人，法國領事豐大業和秘書西蒙來訪，已進了客廳。」

崇厚一驚，手中的紙扇掉到地上，暗暗叫苦：麻煩事來了！急匆匆換上長袍馬掛迎了出去。

「領事先生，秘書先生，哪陣好風把你們吹來了？」崇厚一臉媚笑地向豐大業、西蒙打躬作揖。

豐大業打心裏瞧不起這個貪圖享樂、圓滑庸碌的清國大官僚，他沒有吃崇厚這一套，板起臉孔，開門見山地問：「侍郎先生，天主教堂無故遭圍，這事你知道嗎？」

「知道，知道！」崇厚親自剝了一個南豐貢橘遞給豐大業，笑著說：「張知府、劉縣令都已派兵前去鎮壓了，領事先生放心，事情馬上就會平息。」

「我不能放心，侍郎先生。」豐大業並不接崇厚遞過來的貢橘，一臉冰霜，「幾萬百姓的騷亂，一百來個兵就平息了？你的洋槍隊呢？調你的洋槍隊去！」

豐大業這樣直接地命令他，兵部侍郎、三口通商大臣崇厚覺得有失臉面。他壓下心中的不快，依然笑道：「領事先生，派洋槍隊出來鎮壓百姓，恐不合適。」

「什麼話！」豐大業霍地站起，「侍郎先生，你要明白，你的洋槍隊是我們大法蘭西帝國和大英帝國幫你建的，保護大法蘭西的教堂，是它應盡的職責，你必須馬上把它調派出來！」

豐大業如此橫蠻不講理，崇厚一時惱火起來，不過他不敢發作，只略爲冷淡地回一句：「洋槍隊不能調動。」

「你眞的不調？」豐大業氣得怒不可遏，從腰裏拔出一只烏亮的手槍來，對著崇厚的胸脯就是兩槍。「叭叭」，崇厚身後那只一人多高的明宣德寶石紅大花瓶被打得粉碎。其實，豐大業只是嚇嚇崇厚而已，他趕緊逃出客廳，躲進內室。衙門裏的官吏、兵役們不知出了何事，都圍了過來，西蒙一把拖過豐大業，說：「我們走吧！」

豐大業對著內室高喊：「崇厚，我警告你，若不迅速平息騷亂，由此而產生的一切後果都要由你們負責！」

說完，大搖大擺地走出了三口通商衙門，又氣呼呼地奔回河東，在獅子林浮橋上不期與知縣劉杰猝然相遇，劉杰帶著幾十號兵弁，在教堂周圍已待了兩個多時辰。他東竄西跑，南奔北突，喊得舌躁口啞，力勸百姓散開，但無一點效果，反招來一聲聲呵責痛罵。夫人怕他出事，打發家人劉七來叫他回去，扯謊說他的獨根苗突然發病了。劉杰四十多歲了，僅這個五歲的獨生子，平日看得比自己的命還重。他對帶隊的把總招呼兩句，便急急忙忙帶著劉七回衙門。

「站住！」豐大業極不禮貌的下令，「劉縣令，你到哪裏去？」

「我回衙門去一下。」劉杰極不高興地回了一句。

「劉縣令，你身爲天津的父母官，這個時候，你能離開教堂嗎？」豐大業怒火又生，嚴厲訓斥著天津知縣。

劉杰不便說回衙門看兒子的病，一時又急得找不出其他藉口，居然張口結舌，不知所措。

「你這個豬羅！」豐大業破口大罵，「你們清國的官員都是豬羅！」

「你敢罵人？」劉杰畢竟比崇厚血性足一點，他不能接受一個外國人在百姓的面前對他這般侮辱，氣得衝口而出，「你這個沒有教養的洋鬼子！」

「你？」豐大業沒有想到劉杰居然敢回罵他，他立時拔出手槍來。劉杰的家人劉七是他的遠房侄子，一向對堂叔忠心耿耿，見勢頭不對，忙跨前一步，以身擋住劉杰。就在這時，豐大業手中的槍響了，一顆子彈正中劉七的左胸，血流如注。浮橋頭的百姓見狀，頓時狂怒到了極點，劉矮子大叫：「洋鬼子開槍打死人啦！」

這一聲喊叫，如同一團火把扔進堆放著千萬斤火藥的庫房，憤怒的火焰沖天燃燒；又如一顆開花炮彈擊破海河上的閘門，千百里而來積蓄在這裏的怒濤洶湧奔騰了。天津衛在震怒！人心在震怒！劉矮子一句「宰了狗養的洋鬼子」的話還未喊完，幾百個百姓便衝上浮橋。豐大業、西蒙見勢不妙，忙折回向橋西跑。哪裏走得脫！橋西也上來幾十個大漢，把回路截斷了。劉矮子飛跑過來，揚起一腳，豐大業撲倒在橋上，一陣鐵拳如雨點，不過三五秒鐘，豐大業和西蒙都已成肉醬了。

這時，從浮橋邊一艘官船艙裏走出一個高級武官來，那人對著橋上喊：「打得好！」劉矮子朝著喊聲望過去。哎呀，這不是總兵陳國瑞嗎？去年，也是在海河邊口，劉矮子給陳部扛軍糧上船，曾經見過這位人稱「大帥」的陳國瑞。這時他見陳國瑞支持，情緒更高昂了，對著眾人大喊：「鄉親們，陳大帥說我們打得好，咱們衝到教堂去，乾脆，把那幾個洋教士也宰掉！」

「對，咱們到教堂算總帳去！」

浮橋上的百姓一齊吶喊著衝向人山人海的教堂。

教堂邊，徐漢龍跳上一個土墩子，向周圍的百姓們喊道：「父老鄉親們，洋鬼子和信教的欺侮俺們，殘殺俺們的孩子，現在又開槍打死了劉縣令的家人，俺們能甘心受他們的宰割嗎？」

「不能！」水火會的幾百個兄弟一齊高吼。

「俺們報仇吧！」徐漢龍說完，跳下土墩，帶頭向教堂衝去，上萬百姓一齊行動起來，教堂的門被衝開了，夏福音被抓了出來。徐漢龍說：「把他押起來。」立即就有人猛烈反對。「打死他！」十多個人一聲喊，夏福音的小命瞬刻上了天堂。另外三個法國傳教士一個都沒跑脫，全部死在亂拳之中。中國教民也有五六個被抓住打死了，另外幾個趕緊扯下胸前的十字架，脫下黑色教袍，換上平時家居衣服，居然混在人羣中躲過了。有人從廚房裏抱來一桶油，向耶穌像潑過去，馬上就有人點火，蒙難耶穌像在火中很快化為灰燼。那火越燒越旺，從一樓到二樓，從二樓到三樓，又從三樓燒到塔樓。轉眼之間，一座巍峨壯觀的望海樓教堂，便被熊熊大火所吞沒。這是一腔不平的怒火，一團復仇的烈火，也是一把自發的野火！

這火從教堂燒到了育嬰堂，一百多個中國小孩子從裏面驚恐萬狀地跑了出來，還有七八個重病在床的嬰兒無人顧及，活活地被煙嗆死，被火燒焦。三個法國修女被拖了出來。她們被這憤怒的場面嚇懵了，嘴裏嘰裏哇啦地說著，沒有人懂得她們說的什麼。有個頭髮花白的老頭走過來，對拉她們的人說：「這是修女，就像我們中國的尼姑，她們也是可憐人，放開她們吧！」

一個滿臉橫肉的中年人衝著花白頭髮吼：「什麼可憐人，都是妖婆，放了給你做老婆？」

老頭子討了個沒趣，低著頭擠出了人羣。有人高喊：「挖眼剖心都是她們下的手，燒死這幾個巫婆！」

一個腰圍一片破布的小子，忽地抱拳，向四周一拱手，說：「各位叔伯兄弟們，我們哥兒幾個都沒有婆娘，求大家行行好，把這幾個妖婆賞給我們哥兒們吧，由我們來折磨，替大伙兒出氣！」

「呸，下流混子！滾開，別在這裏給咱們中國人丟臉！」馮瘸子衝過去，一揮手，將圍破布的小子打倒在地，對著人羣喊：「誰家有被拐的孩子，都來報仇吧！」

立時有二三十個披頭散髮的婦女從人堆裏擠出來。這些婦人一邊痛哭，喊著自己兒女的名字，一邊用牙齒撕咬著修女。片刻光景，三個修女都血肉模糊，不成人形了。

人羣中又有人喊：「禍根在法國領事館！」「搗毀它！」隨即就有千百人呼應。於是人流一齊擁向領事館。領事館裏的人早已逃散一空。大家扯碎了大門上的法國國旗，將裏面的東西打得稀巴爛。領事館旁邊的公館、洋行、美國和英國的幾處講書堂也統統被砸得一塌糊塗。人們還不解恨，仍情緒激昂地在那裏談論著，笑罵著，互相慶賀勝利。大家都覺得，這一輩子就數今天活得痛快！

離天主教堂三里路遠的關帝廟裏，田老二帶著小混混等一班青皮兄弟在這裏蹲著，他們另有打算。就在大家撕毀法國國旗的時候，遠遠地過來三乘轎子。田老二喜道：「到底來了！」說著衝出關帝廟，小混混等緊緊跟上。

「停住！停住！」田老二揚起手中切西瓜的刀，對著轎夫的臉晃了幾晃，轎夫們嚇得魂飛魄散，立即停下。田老二掀起轎帘，裏面坐了一個白皮膚、黃頭髮、藍眼睛的洋婆子。田老二一眼看見了她脖子上戴著一串發光的金項鏈，兩隻手上各戴一只寶石戒指，心中暗喜。他一隻手伸進轎裏，將那洋婆子拖出轎外，口裏罵道：「你這個婊婆，爺們報仇來了！」說罷，手中的西瓜刀便向那女人的頭上砍去。女人尖叫一聲，倒在地上。

這時，從第二頂轎裏跑出一個男洋人，正趕上項五走過來，二話沒說，掄起長槍，向他的腿上戳去。張國順、段起發跑過來，各自用刀用棍將這個洋人打死，三人在洋人身上亂摸一氣，一樣值錢的東西也沒有。

「後面那個跑了！」小混混眼尖，見第三頂轎裏跑出一個足有六尺高的洋大漢，小混混不及他的肩膀高。他也不知哪來的膽量，追上去，一拳打在那人的腰上，洋大漢撲倒在地，爬不起來。小混混騎在他的身上，掄起兩個拳頭一頓亂捶。他彷佛覺得自己就是景陽崗上的打虎英雄武松，在圍觀人羣的面前出盡了風頭，口裏一個勁地罵：「打死你這個洋鬼子！誰叫你欺侮咱哥們。」

田老二迅速從女洋人的脖子上扯下金項鏈，又從她的左手指上褪下一只藍寶石戒指，右手指的紅寶石戒指卻被項五捋下了。段起發什麼也沒得到，不服氣，在她身上胡摸起來，意外地在口袋裏發現一塊金錶。衆人見小混混正在打另一個洋人，便都趕來幫忙，幾刀砍下，那洋人就不再動彈了。段起發吸取剛才的教訓，先下手，洋人左手上的金戒指被他死勁取下。張國順在他的上衣袋裏掏出幾張花花綠綠的票子。再摸，沒有了。項五沒撈到油水，氣得慫緊腮幫，用力將死洋人翻了個身，伸手掏他屁股上的小口袋。口袋是空的。項五恨得吐了一口痰，罵道：「這個窮鬼！比咱哥們好不了多少！」

轎夫早已嚇得不知去向，轎旁也圍了上百人，田老二等正要走，圍觀中有人說：「你們這幾個小子，打死了洋人，搶走了東西，把屍體丢在這裏不管，豈不苦了住在這裏的百姓！」

小混混聽了，對田老二說：「二哥，把這幾個洋鬼子扔到河裏去吧！」

田老二點頭。於是五人一齊動手，將兩男一女三具洋屍全扔進海河。末了，連西瓜刀、長槍也丟進河裏。田老二等四人都得到了好處，唯獨小混混一點東西也沒得到。他不覺遺憾，他很快樂。田老二他們身上藏有金鏈金錶，怕遭人打劫，趕緊回了家。小混混無所顧忌，聽到領事館那邊吼聲震天，又跑過去，擠到人堆裏看熱鬧。

望海樓教堂的大火一直燒到深夜才漸漸熄滅，鬧了、看了一整天的人羣，盡管亢奮異常、歡快異常，到底太疲倦，凌晨之前也漸漸地散開了。

消息傳到京師，總理各國事務衙門震驚萬分，主管大臣、三十八歲的皇叔恭王奕訢心中恐懼不已。奕訢這些年辦洋務，用他自己的話來說，好比江湖上走繩索的賣藝人，步步都須格外的小心謹愼，即便如此，也常常出亂子，招致朝野不少人反對。

奕訢在與洋人打交道的過程中，深知洋人的目標不在中國的江山社稷，而在攫取中國的財富。作爲皇室中最重要的成員，奕訢因此對洋人放下心來，至於銀子，那畢竟好商量。基於此，奕訢辦洋務的態度，說得好聽點就是「撫」，說得直爽點就是「媚」。他與洋人保持親密的關係，恪遵與洋人訂立的各項條約，並常常作些讓步，滿足他們貪婪的索取，以求保得相安無事的局面。同時，奕訢也注意學習洋人的長處，試圖把它用之於中國，使中國徐圖自强。這方面的想法，他與曾國藩的觀點完全一致，在朝中，在各省也不乏支持者，比如文祥、左宗棠、李鴻章、郭嵩燾、沈葆楨、丁日昌等人，就都是他的追隨者。但奕訢的這番用心，並不能得到天下的諒解。

首先是大學士倭仁就看不慣。這個理學泰斗一心要維護中國傳統禮教的純潔性和至高無上的統治地位，對奕訢與洋人的拉拉扯扯很覺不順眼。同治五年，當奕訢提出選用科甲官員入同文館學習天文、算學的主張時，倭仁就堅決反對。他抗詞駁斥奕訢的觀點：「立國之道，尚禮義不尚權謀，根本之圖，在人心不在技藝。古往今來，未聞有恃術數而能起衰振弱者也。」倭仁這麼一帶頭，就有一批所謂忠貞之士激昂慷慨地附和，聲稱如果這樣下去，大清非亡國滅種不可。後雖經慈禧太后支持，事情總算進行下去了，但已鬧得舉國不靖。這還罷了，最令奕訢頭痛的是遍及全國的教案，把他弄得焦頭爛額，舉止無措。而這些教案中，又以與法國天主教的衝突最大。奕訢記得，咸豐十年的南昌教案、同治元年的衡陽湘潭教案、同治四年七年的酉陽教案等等，都是與法國天主教發生的流血衝突。酉陽教案因打死一個法國傳教士，激起教堂報復，居然死了一百四十五個中國百姓。這場慘案，至今尚未了結。眼下法國的損失比哪次都要大，他們怎會善罷甘休！這場亂子如何結局呢？奕訢不敢想像。他只得立即給三口通商大臣崇厚下令，要他迅速查明事件的原委和後果，並對受影響的外國領事館致以歉意。

消息更使法國和其它幾個在天津駐有本國人員的西方國家震驚，他們紛紛派員前往天津。崇厚奉命查明，這次事件中，包括豐大業在內，共打死法國人九名、俄國人三名、比利時人二名、英國美國人各一名，另有無名屍十具，燒毀法國教堂一座，毀壞法國領事館一處、育嬰堂一處、洋行一處、英國講書堂四處、美國講書堂二處。法國駐京公使羅淑亞認爲蒙受了空前未有的奇恥大辱，他聯合英、美、俄、比利時等六國，向清廷提出嚴重抗議。法國政府停泊在遠東的三艘軍艦也集結於天津、煙台一帶，揚言要把天津化爲焦土。剛剛出了一口怨氣的天津士民，頭頂上正壓著一塊沈重的戰爭烏雲。

這塊戰爭烏雲，尤使慈禧、奕訢害怕。在崇厚的「愚民無知，莠民趁勢爲亂，地方官失職」的奏摺上，慈禧批令嚴厲處治肇事匪徒，將天津地方官員先行交部分別議處，並將派崇厚出使法國禮賠道歉。總理衙門向各國駐京使館發出照會，重申遵守各項條約，保護各國在華利益，嚴懲肇事兇手，公正處理天津事件。

但各國公使，尤其是法國公使對清廷態度的誠意表示懷疑，羅淑亞警告奕訢：法蘭西帝國的艦隊正在升火待發，隨時都可以越過重洋，進入天津。當奕訢把外國人的態度稟報給慈禧時，年輕的西太后沈默了很長一段時間，然後慢慢地說：「得派一個人壓得住台面又顧全大局的重臣前去天津迅速處理，以寬洋人之心。」

「太后的決定英明。」奕訢期望的正是這個決定，他心裏已想好了人選，只是太后未問，他不便輕易先提出。自從罷去「議政王」頭銜後，他處事謹慎多了。

「六爺。」慈禧客氣地叫了一聲奕訢，「你看派誰去爲好呢？」

「臣看曾國藩去比較適宜。」奕訢裝著思考一下後再回答，「不過，曾國藩現正在病假中。」

「這也是沒有法子的事，只得麻煩他了，別人誰去都不濟。況且他是直督，也是他分內的責任。」慈禧說。奕訢的奏對與她的想法不謀而合。

「是的。臣也相信曾國藩一向不畏艱難，以國事爲重，是不會推辭的。」奕訢心頭壓著的石頭落了地，彷彿曾國藩一去，戰爭陰雲就會立即被驅散。

「六爺，你去叫內閣擬旨來。」慈禧也心寬了，她把右手擧起，極有興致地欣賞無名指上的金指套。這指套昨天才打好，金光燦燦的，足有三寸半長，她很滿意。

「是。」

奕訢正要跪安，西太后又以悅耳的聲音補充：「要內閣把朝廷的旨意擬明白些，語氣要堅決些，好讓曾國藩到天津後，辦起事來有所依憑，不致因百姓和地方官的情緒亂了方寸。」

六　給兒子留下了遺囑

保定城總督衙門口，今上午忽然變得熱鬧起來。大公子曾紀澤正在忙忙碌碌地張羅著，一根丈把高的竹桿上懸掛著一掛長長的鞭炮，鞭炮下面站著一排吹鼓手。過一會兒，二公子曾紀鴻也走了出來，身後跟著一隊府裏的聽差。四周的百姓感到奇怪：看這架式，總督衙門今天像是有喜事，但又不見張燈結彩、披紅掛綠；若是辦喪事哩，又不見戴白繫麻的，門前也沒有招魂幡。只見老家人荊七從前面大路上小跑過來，對紀澤說：「大公子，馬車就要到了！」說完後，又走到吹鼓手隊跟前，吩咐作好準備。

正說話間，一輛三匹馬拉著的大馬車停在門前大坪中，紀澤忙拉著紀鴻走過去，跪在馬車前。車裏走出李鴻章的幼弟李昭慶。他剛一下車，荊七便揮揮手，早已準備好的一羣聽差都走了過去，七手八腳地從馬車上卸下二十四根長八尺、徑長一尺二寸的大圓木來，每根圓木的腰間繫一根紅布條。這時鞭炮轟響，鼓樂齊鳴，紀澤兄弟對著圓木叩頭不止。荊七一聲吆喝，四十八個聽差，抬起二十四根圓木，魚貫踏上台階，走進衙門。紀澤、紀鴻低著頭走在最後。

原來，這二十四根圓木，是兩副棺材的用料。去年，曾國藩離開江寧前夕，李鴻章趕來送行，問恩師在江南尚有何未了私事。曾國藩悄悄對他說，已在江西建昌定下了兩副棺木料，方便時，請他帶到保定來。李鴻章謹記在心，赴西北前夕，他將此事交給昭慶，要弟弟親到建昌去督辦。他要把這兩副棺木作爲自己的禮物送給恩師，盡一點作門生的孝心。

曾國藩在書房裏親熱地接見了李昭慶，並驗看了千里運來的建昌木。但見根根光亮筆直，紋理細密，仔細嗅一嗅，還有一股淡淡的淸香。建昌木身上常見白色波瀾條紋，故又叫建昌花板。這建昌花板號稱製棺材的上等佳料，又經李昭慶從上萬根木料中親自選出，豈有不好之理！正在談論下一步如何製造的時候，巡捕報：「聖旨到！」

曾國藩慌忙換上朝服來到公堂，剛升爲吏部侍郎的周壽昌親自賫旨來到，朗聲頌讀：

崇厚奏津郡民人與天主教起衅，現在設法鎭壓，請派大員來津查辦一摺。曾國藩病尚未痊，近日已再行賞假一月，惟此案關係緊要，曾國藩精神如可支持，著前赴天津，與崇厚會商辦理。匪徒迷拐人口、挖眼剖心，實屬罪無可逭。既據供稱牽連教堂之人，如查有實據，自應與洋人指證明確，將匪犯按律懲辦，以除地方之害。至百姓聚衆將該領事毆死，並焚毀教堂，拆毀育嬰堂等處，此風亦不可長。著將爲首滋事之人查拿懲辦，俾昭公允。地方官如有辦理未協之處，亦應一並查明，毋稍迴護。曾國藩務當體察情形，迅速持平辦理，以順輿情而維大局。欽此。

天津事起之後，作爲直隸總督，曾國藩早已作好了到天津查辦的準備，他對這道聖旨不感到意外，對聖旨中所提到懲辦迷拐人口及爲首滋事人員的決定，他也深表同意。但這件事辦起來，必有千難萬難，曾國藩心中也非常清楚。不過，他卻不能推辭，只得答道：「臣曾國藩遵旨。」

周壽昌念過上諭之後，隨即走過來，雙手扶起病體衰弱的曾國藩，心裏湧起一股憐憫之情。

「滌生兄，這是件極難措手的事，京中議論甚多。」周壽昌關心地說。

「我知道。」曾國藩的情緒十分低落，「但我身爲直隸總督，天津鬧事，我能不管嗎？」

「要麼這樣，」周壽昌望著曾國藩滿是皺紋又略帶浮腫的長臉，以及兩隻上下眼皮幾乎完全靠攏的眼睛，誠懇地說，「我去回復皇太后，說你重病在床，不能起身，請太后另簡別人。」

對老朋友的這番情義，曾國藩深爲感謝。一瞬間，他也覺得可以接受，本來自己就已告假在先，並非臨事推諉。但他轉念一想，又覺不妥。此事關係太大了，處理得好不好，都直接牽連到整個國家的命運。自古忠臣遇到國家危難之事，即使重病在床也要力疾受命；當年林文忠公就是這樣死在前赴廣西的路上，贏得了千古忠貞的美名。「苟利國家生死以，豈因禍福避趨之。」林則徐悲壯的詩句在他的腦子裏浮起，他決心向林則徐學習：力疾受命。

「應甫，你回去稟報皇太后、皇上，就說我過兩天就出發，一定要把天津的事情處理好，請聖上放心。」

送走周壽昌後，曾國藩一直一個人怔怔地枯坐在書房裏，不吃不動，彷彿老僧入定一般。夜晚，歐陽夫人親自送來一碗參湯，勸他喝下，又勸他爲國爲家保重身體，早點躺下休息。他謝了夫人的好意，答應立即就睡。待夫人走後，他關好門，撥亮燈，拿出紙筆來，思量著要寫點東西。

建昌花板和赴津著教案的上諭同一天到達，明明白白地預示著他此次津門之行是有去無回了。對自己這衰病之身，他無甚留戀；官居一品，封侯拜相，已位極人臣，也無甚遺憾了。他最掛牽的就是兩個兒子，擔心他們今後不能好好地立身處世，擔心曾氏家族會有一天突然敗落。這樣的事，對於大家世族來說，幾乎不可避免。他希望曾家能夠避免，至少能推遲幾代出現。要寫的話，多少年來爛熟於胸，用不著多想，他筆不停揮，文不加點，一直寫到雞叫頭遍才住手。寫完後他又從頭至尾誦讀一遍，一種惆悵落寞之情油然襲來，不能自已。

余即日前赴天津，查辦毆斃洋人焚毀教堂一案。外國性情兇悍，津民習氣浮囂，俱難和葉，將來構怨興兵，恐致激成大變。余此行反覆籌思，殊無良策。余自咸豐三年募勇以來，即自誓效命疆場，今老年病軀，危難之際，斷不肯吝於一死，以自負其初心。恐邂逅及難，而爾等諸事無所稟承。茲略示一二，以備不虞。

余若長逝，靈柩自以由運河搬回江南歸湘爲便。沿途謝絕一切，概不收禮，但水陸略求兵勇護送而已。

余歷年奏摺，抄畢後存之家中，留於子孫觀覽，不可發刻送人，以其間可存者絕少。所作古文，尤不可發刻送人，不特篇帙太少，且少壯不克努力，志亢而才不足以副之，刻出適以彰其陋耳。如有知舊勸刻余集者，婉言謝之可也。切囑切囑。

余生平略涉儒先之書，見聖賢教人修身，千言萬語，而要以不忮不求爲重。忮者嫉賢害能，妒功爭寵，所謂怠者不能修，忌者畏人修之類也。求者貪利貪名，懷土懷惠，所謂未得患得，既得患失之類也。忮不常見，每發露於名業相侔、勢位相埒之人，求不常見，每發露於貨財相接、仕進相妨之際。將欲造福，先去忮心；將欲立品，先去求心。忮不去，滿懷皆是荊棘；求不去，滿腔日即卑汚。余於此二者常加克治，恨未能掃除淨盡。爾等欲心地乾淨，宜於此二者痛下功夫，並願子孫世世戒之。

歷覽有國有家之興，皆由克勤克儉所致；其衰也，則反是。余生平亦頗以勤字自勵，而實不能勤；亦好以儉字教人，而自問實不能儉。爾輩以後居家，要痛改衙門奢侈之習，力崇勤儉之德。

孝友爲家庭之祥瑞。吾早歲久宦京師，於孝養之道多疏，後來輾轉兵間，多獲諸弟之助，而吾毫無裨益於諸弟。余兄弟姊妹各家，均有田宅之安，大抵皆九弟扶助之力。我身歿之後，爾等當視叔如父，視叔母如母，視堂兄弟如手足。諸弟漸老，余此生不審能否相見，爾輩若能從孝友二字切實講求，亦足爲我彌縫缺憾耳。

七　轎隊被攔在天津城外

曾國藩帶著趙烈文、吳汝綸、薛福成和幾個兵弁，冒著六月酷署，扶病上轎。彭楚漢建議：「大人身爲直隸制軍，天津又處動亂之中，此行宜以兵馬壯聲威。卑職願帶一千人隨大人進津門。」

「不行。」曾國藩斷然拒絕，「上諭說持平辦理，以順輿情而維大局。維護大局，則不能開仗。我帶兵前行，不正好給洋人動刀兵以藉口嗎？」

彭楚漢默然退下。

「彭軍門。」曾國藩又把他叫住。「洋人猖狂無禮，後果難以預料，直隸軍隊有捍衛京畿之責任。你要訓飭部屬，決不能掉以輕心，隨時準備，以防不測。」

彭楚漢領命，作爲一個有十幾年戎馬生涯的總兵，他懂得目前形勢的嚴峻。

綠呢大轎啓行了，後面趙、吳、薛等騎馬相隨，沿著通往天津衛的古道緩緩前進。一望無邊的京津平原在烈日曝曬下，一切生命都變得疲軟懶散。兩旁庄稼地裏，稀稀落落地種著些高粱、玉米、西瓜、紅薯，葉片低垂，藤兒乾枯，全無一點生氣。地裏死一般地寂靜。偶爾可見一兩個人從高粱叢中鑽出來，大口大口地喘氣，然後又鑽進去。這些人渾身上下一絲不掛，生長在南方的趙烈文、吳汝綸看著直搖頭。古道上很少見到來往行人，偶爾所見的，也只是一些居住在附近的百姓，個個面如菜色，身如乾柴。進入靜海地面時，路上行人漸漸多起來，他們拖兒帶女，背著大布包，神色憂傷。曾國藩叫兵弁過去打聽。原來是永定河在葛漁城一帶又決口了，沖毀農田庄舍無數，受災的百姓只得背井離鄉去逃難。老百姓刻骨咒罵河道河吏，罵他們將河工的款子貪汚了，偷工減料，敷衍草率，欺蒙上司，貽禍百姓，是一班該千刀萬剮的貪官汚吏。

曾國藩坐在轎裏，一顆心沉重得如同千斤鐵錘。眼裏所看到的已令他愴然，聽到的又令他憤然，而即將面臨的更令他頹然。

西洋天主教早在明末就在中國傳播，到康熙年間大盛，一時有信徒好幾十萬。後來，因天主教不准中國信徒祭祀祖先，引起朝廷不滿，而神父穆經運又參與胤禩等奪嫡之爭，故雍正、乾隆之後，天主教遭到嚴禁。鴉片戰爭之後，朝廷又允許外國人傳教，隨之而來的便是不少糾紛。

曾國藩對天主教素來反感。天主教獨尊上帝，不敬祖宗，不分男女，與他心目中的禮義倫常大相逕庭，他視之爲擾亂中華數千年文明的異教。在他看來，長毛就是把這一套學了過來，結果造成十多年的大亂。至於洋人販來的鴉片，他更是深惡痛絕。但對洋人的堅船利炮，以及諸如千里鏡、自鳴鐘、機器等，他又由衷地佩服。三十年前慘敗於洋人的教訓，他記憶猶新。十多年來親歷戎間，對外國與中國在軍事上的懸殊他看得很清楚。一個基本認識已在他心中深深地紮下了根：與洋人相爭，不在於一時一事的輸贏，而在於長遠的勝負。中國目前不如洋人，一旦開仗，只有失敗。要靠「打脫牙和血吞」的精神，忍辱發憤，徐圖自強。他以這個認識爲基礎，利用晚上住宿的空隙，擬了一篇《諭天津士民示》告誡天津士民要將好義剛强之氣引入正道，對教堂傳聞要查訪確實，不可以忿報忿，以亂招亂。十載講和，得來不易，一朝激變，荼毒萬姓。並宣告奉命而來，一以宣布聖主懷柔外國、息事安民之意，一以勸諭津郡士民，必先明理而後言好義，先有遠慮而後行其剛氣。曾國藩準備一進津門，就將這張告示交衙門刻板，刷印幾百份，遍貼大街小巷。

遠遠地看到天津城綿延的城牆和高大的城門了，綠呢大轎在稍子口停下。這裏離城尚有七里地。天津道員周家勛、天津知府張光藻、天津知縣劉杰已在此等候多時。衆人將曾國藩迎進屋裏。剛一落座，便見周道台在前，張知府、劉縣令在後，一齊跪在地上，高喊「求老中堂給卑職們作主。」

說罷，對著曾國藩叩了三個響頭，抬起頭時，三個人都滿臉是淚。曾國藩心中甚是淒楚，說：「都起來，這是什麼地方！你們都是鎮守天津的朝廷命官，如此哭哭啼啼的，讓百姓傳揚出去，豈不丟朝廷的臉？」

周家勛等人起來，不敢坐，都垂手站在曾國藩的兩旁，等待他的訓示。

「城裏現在安定下來了嗎？」

「回老中堂的話。」周家勛低頭答道，「大規模的鬧事起哄是沒有了，但百姓心裏都大不服氣，許多人都在罵崇侍郎。」

「罵他什麼？」曾國藩對此頗為關心。

「罵他是討好洋人的漢奸。」劉杰插話。

曾國藩兩腮的肌肉輕輕地抽搐了一下，說：「胡說八道。」

不知是中氣不足，還是並不十分憤怒，這四個字顯得輕飄飄的。劉杰聽出了其中的味道。這次事件由圍攻咒罵，發展到燒樓斃人，實由豐大業開槍的緣故。堂侄當天抬到家裏後便氣絕，他悲痛不已。倘若不是這個忠心的侄兒，氣絕的便是他本人。他恨強盜土匪般的法國佬，因而對百姓的舉動能夠理解，也予以同情。他把自己的觀點亮給崇厚聽時，誰知也遭到豐大業槍擊的崇厚非但不支持他，反而說他糊塗。劉杰覺察出曾國藩與崇厚的口氣大有不同，於是壯起膽子說：「中堂大人，豐大業身為法國領事，兩次槍擊我朝廷命官，公然侮辱我大清帝國的尊嚴，且打死了卑職的家人。百姓奮然而起，捍衛朝廷尊嚴，申張正義，雖然做得過頭了些，但事出有因，情可寬恕。」

「劉明府，你說如何寬恕法？」曾國藩苦笑一聲，「豐大業無理，可以由朝廷出面，與法國公使交涉處理，如何能就因此放火燒屋，殺死那樣多與豐大業毫不相干的洋人？現在退一萬步來說，即使朝廷採取寬恕的態度，不再追究，但洋人會答應嗎？設身處地想一想，假若我大清國在別的國家裏遭到這樣的襲擊，我們又會怎樣想呢？我們難道就會寬恕嗎？」

劉杰一時語塞。周家勛想陳述教堂迷拐幼童、挖眼剖心，百姓積怨甚深等情況，但話到嘴邊又咽下去了。這些事不是一兩句話就能說清楚的，需要等總督大人到署後詳細稟報。張光藻本想訴訴對「交部議處」的委屈，見周、劉都不再說話，也就不作聲了。曾國藩喝了兩口茶後，吩咐起轎。

曾國藩的綠呢大轎領頭，後面跟著周家勛等人的藍呢大轎，平日的全副執事都免去了，轎隊冷冷清清的，似乎坐的都是一些受審遭貶的官員。轎隊悄沒聲息地前進三四里路遠時，忽見前面大道上黑壓壓地跪下一片人。走在轎隊前面的戈什哈嚇得忙回頭稟告曾國藩，請示進止。曾國藩眉頭一皺，面色不悅地說：「叫張太守、劉明府去問問，這些人是幹什麼的。」

張光藻、劉杰下了轎。過一會兒，張光藻返回，對曾國藩說：「前面跪的是天津各界士民，他們要面見中堂大人。」

「叫他們都散開！有事以後到衙門裏說去！」曾國藩不耐煩地揮揮手。

張光藻很快又轉回來，哭喪著臉說：「非請大人下轎接見他們不可，否則他們決不散開。」

「這是什麼話！」曾國藩氣憤地說。他知道天津百姓不好對付，極不情願地下了轎。跪在道上的士民見曾國藩走過來，立即亂哄哄地喊：「曾大人！」「老中堂！」「青天大老爺！」

曾國藩挺直腰板，兩手叉腰，盡量做出昔日那種凜不可犯的風度來。無奈右眼已瞇成一根線，左眼也只能睜開一點點，沒有了過去的如電目光，也就沒有了過去令人戰慄的威嚴。天津士民們發現，站在他們面前的曾國藩，與他們所想像的湘軍統帥完全對不上號，若沒有那身嚇人的一品官服，他與俺們普通老頭子沒有什麼差別！

「父老兄弟們！」曾國藩乾咳了一聲，大起喉嚨喊道，「鄙人奉太后、皇上之命，前來處理津民與洋人鬥毆之事。各位請放心，鄙人一定會遵循國法，稟公辦理。」

話音剛落，人羣中立即騰起一片亂糟糟的喊聲：「曾大人，您要爲咱們百姓撐腰！」

「中堂中人，洋人是惡鬼，您可不能像崇厚那樣偏袒他們！」「老中堂，您要明察秋毫呀！」

曾國藩心裏煩躁起來。他强壓著厭煩情緒，高聲說：「父老士民們，請你們讓開一條路，好讓鄙人進城。」

前面跪著的幾個百姓挪動了膝蓋，讓出了一條四五尺寬的路來。曾國藩正準備上轎，人羣中突然站起一個身著長衫的青年，大聲說：「老中堂，津門各書院士子公推晚生出來說幾句話，請老中堂賞臉聽一聽。」

曾國藩見說話的士子長得眉目清秀、斯斯文文，臉上流出一絲淺笑。他平生從不怠慢讀書人，尤其喜歡那些長得俊拔的年輕士子，他認爲人才大都藏在這批人中。一個戈什哈從附近人家中搬來條木凳，他坐在凳子上，習慣地抬起右手梳理鬍鬚，微微點點頭。

青年士子會意，大著膽子說：「去年，老中堂由兩江來到直隸，我津門全體士子人人歡喜雀躍，咸謂老中堂這樣清正廉明、治國有方的總督，直隸從此將可從疲沓中振興起來。老中堂督直不久，便刊布《勸學篇示直隸士子》，鼓勵我直隸士子以旁俠之質入聖人之道，又告誡以義理爲先，以立志爲本，取鄉先達楊、趙、鹿、孫諸君子爲表率。老中堂的教導，我津門士子都銘記在心。」

說到這裏，青年士子偸眼看了一下坐在板凳上的總督，見他注意在聽，氣更壯了：「這次聽說太后、皇上派老中堂前來處理上月的事件，津門學子比去年歡迎的心情更爲强烈。上月之事，明擺著是洋人所逼，欺人太甚。往日洋人欺侮老百姓，士子們已憤憤不平，現在他們竟然公開侮辱我津郡父母官，眼中已無我大清帝國，士子們無不義憤塡膺。這等洋鬼子，殺之應該。老中堂，我們都記得十多年前，您的那篇震撼天下的《討粤匪檄》。檄文說，長毛別有所謂耶穌之說，《新約》之書，以此來取代我孔孟之教。此為開闢以來名教之奇變。並號召所有血性男子共同征剿。洋人和長毛是一丘之貉，他們妄圖以耶穌、《新約》來迷惑我炎黃子孫，亂我孔孟名教，津門父老奮起反抗，和當年湖湘子弟抗擊長毛如出一轍。津門士子表示支持，也正是遵循老中堂之教誨，以旁俠之質入聖人之道的體現。故全體士子公推晚生出面，懇請老中堂明察士民愛國衛道的苦心。」

那士子說完又跪下去，他周圍的人一齊喊：「請老中堂明察！」

曾國藩面無表情地聽著，心裏對這番話是欣賞的。尤其使他快慰的是，十多年前的那篇檄文，在遠離湖南數千里的天津至今尚深入讀書人之心。他覺得剛才這位士子很會講話。清晰的語言，說明他有清晰的頭腦，既然被全體士子所推出，一定在他們之中享有威望。這是個人才，應該破格提拔！

「大人，我也說幾句！」人羣中刷地站起一個粗大的黑漢子，他是水火會的頭領徐漢龍。

「你是什麼人？」曾國藩見那人樣子有點凶猛，遂打斷他的話問。

「我是海河岸邊的鐵匠。」徐漢龍不理睬曾國藩眼中流露的鄙夷神色，豪放直率地說，「天津百姓放火燒教堂，搗毀育嬰堂，完全是正義的行動。大人您或許不清楚這裏的底細，聽我揀幾件事說說。」

「你說吧！」曾國藩一向倡導實事求是，捕風捉影的話他聽得太多了，重要的在於具體的事實。所以他鼓勵徐漢龍說下去。

「第二」，徐漢龍沒有通常見曾國藩的人那樣恭順多禮，他開門見山地說，「天主教堂終年緊閉，行動詭秘，教堂和育嬰堂底下都挖有地窖。這地窖都從外地請人修建，不讓津民參與其中，百姓普遍懷疑這地窖中大有名堂。第二，中國有到育嬰堂治病的人，往往只見其進，不見其出。前任江西進賢知縣魏席珍的女兒賀魏氏，帶女入堂治病，久住不歸，她父親多次勸說也無效，家裏人都說她吃了育嬰堂的迷魂藥。第三，將死的幼孩，育嬰堂也收進去，以水澆頭洗目，令人詫異。又常見從外地用軍船送來數十上百幼童，也只見進的，不見出的。還有最重要的一點，育嬰堂、教堂裏這半年來死人很多，但都在夜晚埋葬，很令人可疑。上個月百姓們在義冢裏挖出幾具新屍驗看，見這幾具屍都是由外向裏腐爛，尤其腹胸都全部爛壞，腸子肚子外流。大人您知道，死人都是由裏爛出的，哪有從外面爛進的道理？這幾件事，難道還不能證明天主教堂、育嬰堂是披著教會慈善的外衣，幹著挖眼剖心的惡鬼勾當嗎？」

徐漢龍說完也跪下，他身邊的人怒極高喊：「天主堂、育嬰堂是惡鬼窩！」

曾國藩心想，這個鐵匠也不簡單，敢在朝廷大員的面前理直氣壯地陳說，若這幾樁事情都是眞的，也怪不得百姓不疑不氣了。

正思忖間，馮瘸子也站了起來，對著曾國藩嚷道：「總督大人，剛才徐大哥說的半夜埋人，就是我親眼所見的。他們這些洋人把我們中國人不當人看，還不如他們餵養的狗。他們殘殺我們成百上千個幼童，我們爲什麼不能殺他們？實話告訴你吧，那天燒天主堂就是我放的火，洋人我也殺了一個。你要抓凶手，就抓我吧！」

馮瘸子話還沒說完，劉矮子也跳起來叫道：「我也殺了洋人，抓我吧！」立時就有六七個人一齊站起，大叫大嚷：「我們都是凶手，官府要抓就抓吧！」「爲殺洋人而砍頭，值得！」「來世長大，還要殺洋人！」

曾國藩心裏驚道：「看來這燒教堂、殺洋人的人，一定令百姓視爲英雄，不然他們怎會這樣爭著承認？」他站起來，極力以威嚴的神態說：「都不要嚷叫了！剛才那位士子和鐵匠的話，是不是都代表各位的意思？」

「是的。」跪在地上的士民們齊聲答道。

曾國藩的兩道掃帚眉緊緊地擰了起來，過了好長一陣時間才說：「現在請各位父老先讓鄙人進城去，有事以後還可以再來找。」

衆人都紛紛站起散開。轎子重新抬起時，曾國藩吩咐加快速度，趕緊進城。

進城後，他謝絕道、府、縣的殷勤相邀，帶著趙烈文、吳汝綸、薛福成等人住進了文廟。剛剛吃過晚飯，三口通商大臣崇厚便來拜訪了。曾國藩顧不得勞累，忙以禮相見。在曾國藩的面前，崇厚是一個道道地地的晚輩，而崇厚對這個文才武功，並世無出其右的武英殿大學士，也從心裏崇拜。他本是個乖覺伶俐的人，此刻在曾國藩面前，益發顯得殷勤恭敬。

「老中堂，晚輩是盼星星盼月亮，盼望您來。天津這個爛攤子，眼下是亂哄哄、稀糟糟的，道、府、縣都交部議處，他們都不管事了，等候革職發配，全部擔子都壓在晚輩一人肩上，我崇厚哪有能力管得下?不是晚輩眼裏無王公貴族，現在就是恭王爺親來，也不一定鎮壓得住。闔朝文武，只有老中堂大人您一人可以鎮得住這個局面。」

崇厚以十二分的誠懇說著，這的確也是他的心裏話。他目前在天津的日子很難過。輿論都說他沒有骨氣，罵他是漢奸，法國人又不斷地給他施加壓力，過幾天，公使羅淑亞要親到天津來找他當面算帳。他好比鑽在風箱裏的老鼠，兩頭受氣。這下好了，以曾國藩的地位和聲望，足以構成一堵堅實的擋風牆。

崇厚的誠懇態度，頗使曾國藩感動。他說：「老夫已是衰朽，實不能荷此重任，只是職分所在，不能推辭罷了。侍郎這些年來在天津爲朝廷辦三口通商，與洋人打交道，也是件不容易的事。老夫這些年來與洋人直接接觸不多，天津之事，與洋人構成大隙，如何處置妥貼，還要多仰仗侍郎的經驗和才幹。」

「哪裏，哪裏。老中堂這一來，一切事情都可迎刃而解。太后已命晚輩去法國說明津案的緣由，過幾天晚輩便進京陛辭，啓航遠行了。」崇厚早就巴望著曾國藩來，他好脫身，跳出火坑。

「不，不，侍郎你不能走。」曾國藩忙制止。他既然決定力保和局，不開兵釁，崇厚與洋人相處密切的關係，便是一個最可利用的好條件。「你在天津再留幾個月吧。老夫與你謗則同分，禍則同當。明天，老夫親爲你上一道奏請如何？」

曾國藩這樣懇切地挽留，崇厚不能推辭。再說，協助曾國藩完滿地處理好這起事件，今後無論在朝廷，還是在洋人面前，他都可以掙得臉面。崇厚同意了。「老中堂這樣信任晚輩，晚輩一定盡力協助老中堂處理好這件事。晚輩今天特來向老中堂稟報這件事的前前後後。」

關於天津教案，曾國藩在保定時就已知大概，周壽昌傳旨後，又將京中的傳聞告訴了他，今天從城外天津官員和士民的口中，他又聽到不少有關事情的眞相，但所有這些，都不能代替崇厚的當面稟告。這不僅因爲崇厚是這個事件的主要當事人，還因爲崇厚坐鎮天津十年，他對包括法國人在內的洋人的熟悉，是別人遠遠不可比的。正是在這個基礎上，曾國藩建立起對崇厚的信任。

崇厚能說會道，把上個月發生的這件事的全部過程說得清楚細致、有條有理，使曾國藩聽了一個多時辰，也不覺厭倦。他心裏想：許多人說崇厚是個不學無術的花花公子，看來不完全正確。八旗子弟，只要不是家道完全敗落，哪個不是花花公子！能像崇厚這樣就不錯了。曾國藩含笑聽著崇厚的敍述，不時插幾句問話，氣氛很融洽。事情的經過講完後，崇厚說：「老中堂，晚輩對這件事有幾點想法！」

「你說吧！」曾國藩欣賞下屬對事情有自己的看法，他討厭那種人云亦云、糊塗顢頇的人。

「第一，事情的起因，完全肇於百姓的愚昧無知。所謂迷拐幼童、挖眼剖心，純粹是無稽之談。天主教的教義最是仁慈，街上討食的乞兒、流浪的孤兒，育嬰堂都收留，讓他們住在那裏，有飯吃，有衣穿，還教他們識字唱歌。這種事，我們自己的衙門都做不到啊！」

曾國藩想起自己所到之處，眼見不少棄嬰乞兒，心中雖是憐憫，也未曾想到過要收容。這麼多，如何收容得了？別的官員們也未見有育嬰堂這樣的義舉，他覺得慚愧。

「愚民但說洋人挖眼剖心，也不追問，這挖眼剖心到底是做什麼用途呢？」崇厚繼續說下去，「洋人醫道最是發達，許多病我們束手無策，他們的醫生一來，便可手到病除。我有一次問過夏福音，有人說吃人的眼睛目明，吃人的心肝長壽，是這樣的嗎？」夏福音聽後哈哈大笑，說這是天方夜譚，還說人若吃人肉，就要中毒，非但不能長壽，有可能即刻斃命。

這次勘查被燒毀的聖母得勝堂、育嬰堂時，我特意吩咐幾十個親兵注意搜尋，結果他們稟報，根本不見一只眼珠，一個人心。老中堂，這吃人心肝的事，過去書上說的也只是極少數的綠林强盜的作爲，現在雖野番都不這樣，何況英、美、法這些西洋大邦呢？」

崇厚的話很有道理。曾國藩過去也聽說各地鬧教案，都講洋人吃人心，挖眼珠，結果並無一處查實。他分析，這是因爲教堂有仗勢欺人的其他罪行，人們忿恨，有人便編排這些離奇的事來激起大家的義憤。有些老百姓愚昧，也便眞的相信了。

崇厚又說：「老中堂，還有一個極重要的事，晚輩一直未對任何人說，連皇太后、皇上都沒有說。」

「什麼事？」崇厚的神態既嚴肅又神秘，引起曾國藩的極大興趣。

「事件發生後，皇太后、皇上命晚輩查實洋人損失情況，晚輩派出親信認眞調查。第二天他們來報告，說靠近關帝廟的海河上浮出三具洋人屍體，二男一女。他們驗屍後，發現這三個洋人均是刀砍死的，女屍脖子上、手指上都留有戴項鍊、戒指的痕跡，而項鍊、戒指都不見了。」崇厚說到這裏，把聲音壓低，「老中堂，晚輩估計這三具洋屍是死於歹人的趁火打劫，謀財害命。」

「他們是哪個國家的？」曾國藩問，他的掃帚眉抽動了一下。

「俄國公使來天津認出了，說是他們俄國來中國的旅遊者，其中兩個是一對夫妻。」

曾國藩輕輕地點了兩下頭。

「晚輩現在各處佈下暗哨，嚴密打探。眼下盡管許多人罵晚輩，暫且由他們去罵，是非總會分明的。」

崇厚的態度使曾國藩感動。他鼓勵道：「崇侍郎，你剛才講的事都很重要，對老夫也很有啓發。朝廷既然派我們處理這件事，我們自然就坐到一條船上來了，自當同舟共濟，不分彼此。你認爲該做的事，就只管去做，老夫支持你。」

崇厚走後，曾國藩想了很多，許多事情在等待他去辦：明天大清早，得趁著人少的時候去踏勘鬧事的現場；被福士庵暫時收留的那一百多個從育嬰堂裏逃出的孤兒，得派人一一詢問，問他們是否親眼見過挖眼剖心？武蘭珍接受迷魂藥一事甚爲蹊蹺，務必嚴飭武蘭珍講出實話，若眞是王三送的，一定要武蘭珍找出王三來，這種人，必須以死來威脅，方可起作用。海河洋屍事，是個重要的發現，要派十分精明能幹的人去辦，查出結果，抓到凶手，不僅可以名正言順地正法，且可以此教育士民：這樣大規模的騷亂是沒有好處的，它只能使壞人亂中取利。津案應從這裏打開缺口，事情方可望得到各方面都滿意的較好解決。派誰去呢？他想起了趙烈文。是的，這事就交給惠甫！道、府、縣都無人管事，幹脆叫周家勛等人暫時停職，在近期內物色幾個人接替。社會秩序的維持，日常事務的處理，都還得靠地方官。另外，還有一件頂要緊的事，那就是如何應付過幾天就要到天津來的法國公使羅淑亞。據說此人很不好對付。事情太多太多了，曾國藩想著想著，忽然一陣頭暈，眼前發黑。他趕緊摸到床邊躺下，直到半個時辰後才慢慢恢復正常。剛一清醒過來，他又想起一件更重要的事。

這次騷亂，法國損失嚴重，自然與他們結下了怨仇，這不消說了。俄國、比利時、美國和英國這幾個國家也是因城門失火而殃及的池魚。法國已經利用這一點與他們結成同盟，共同施加壓力，而實際上這次事件的起因與他們毫無關係。若是誠心誠意地與他們講淸楚，說明是誤傷，答應賠償一切損失，想必他們也可理解。這樣便可拆散法國的同盟，削弱敵對力量，騰出精力來，集中對付法國。「對！」這是一個重要的策略，曾國藩後悔沒有早一點想起。此事叫崇厚去辦，天津城裏只有他最適宜了。

心思用過度了，又是一陣眩暈，他趕緊閉上眼睛，不再想事，口裏悲哀地喃喃自語：「我眞的老朽不中用了！」

八　老朽眩暈病發作了，恕不能奉陪

羅淑亞很快就到天津來了。這個法蘭西帝國駐中國全權公使，是個受過訓練的職業外交官。他和豐大業一樣，自以爲是貧窮落後的中國的主宰，眼角裏根本就沒有這個國家的平等位置。但他的外表卻顯得比豐大業文雅，舉止談吐也不像豐大業那樣的粗魯。在法國時；他聽說中國好比一隻綿羊，對洋人俯首貼耳地順從；又好比一團泥巴，任洋人隨意捻揑。來到中國當公使的這幾年，他才發現情況並不完全如此。就在官場中，也並不是所有的官員都如綿羊泥團，而廣大的中國百姓則更有雄獅猛虎般的氣概，對天主教堂和傳教士似乎有一種本能的仇恨，迭起的教案，多是衝著法國而來。前幾年爆發的酉陽教案，至今沒有得到滿意的處理。他不得不親自坐輪船去四川，沿途恐嚇中國地方官。剛回到使館不久，更大的天津教案令他又光火又心怯。先是崇厚在處理，他知只要他在北京幾個照會過去，崇厚便會一一照辦；後知清廷派曾國藩去了天津，這個老頭子不比崇厚容易對付。他決定親去天津一會。

「午安，曾中堂！」在崇厚陪同下的羅淑亞一進大門，便看到了身穿朝服的曾國藩。他主動地先打招呼。

「幸會，公使先生。」曾國藩想到自己乃正一品大學士，不能在洋人面前過於謙卑，他有意不出大門，只在接見廳的門口等候。

分賓主坐下，獻茶畢，寒暄幾句後，曾國藩便不再說話。羅淑亞見他端坐在太師椅上，不停地以手撫鬚，面色安詳，氣宇凝重，隱然有一種泰山崩於前而不動容、驚雷響於後而不變色的氣概，不禁暗自詫異。他見過清朝的官員成百上千，上自王公大臣，下至州縣官吏，未有第二個人可與之相比。本想等曾國藩發問，見此情景，羅淑亞心想，若自己不先開口，老頭子便很可能這樣穩坐撫鬚下去，直到端茶送客爲止，叫你莫測高深，最後兩手空空而去，哭笑不得。

「曾中堂，貴國暴民作亂，敝國領事被戕殺，國旗被焚毀，教堂被燒，使館、育嬰堂、講書堂被搗，死難者達九人之多。這是敝國建國以來，在外國從未遭受過的變亂。敝國上下震怒萬分，世界各國也同聲指責，不知曾中堂如何看待這事？又打算如何處置？」羅淑亞操著熟練的華語說。

「公使先生。」曾國藩停下梳理鬍鬚的右手，語氣緩慢厚重地說：「對於在上個月的騷亂中，貴國所蒙受到的損失，尤其是領事先生及其他幾位貴國國民的遇害，鄙人深感悲痛，並將遵照敝國皇太后、皇上的旨意，認眞查辦，嚴肅處理。不過，公使先生，事情的起因，來自於貴國教堂挖眼剖心的傳聞，而領事先生向我朝廷命官開槍，打死縣令家人，則更是事態激變的導火線。這兩點，鄙人也想提醒公使先生注意。」

正是這兩點，擊中了天津教案的要害，羅淑亞心裏暗驚：老傢伙果然厲害。但羅淑亞有恃無恐，他要把這兩個要害抹掉：「曾中堂，挖眼剖心之說，純是對敝國的惡意中傷。貴國各地都如此哄傳，但無一處實證。這能作爲圍攻教堂的理由嗎？恕我說句不客氣的話，這恰恰說明貴國百姓的愚昧無知。豐大業鳴槍，乃是爲了嚇唬包圍他的歹徒，劉縣令家人致死，純系誤中。貴國百姓以此爲藉口，肆行當今文明世界中已絕跡的暴行，太令敝國君臣遺憾了。」

「公使先生。」曾國藩的臉色開始嚴峻起來，「在橋上放槍，說是驅趕圍攻的人，或可勉强說得過去在崇侍郎家放槍，又作何解釋呢？嗯？」

崇厚聽出這一聲「嗯」中的陰冷氣味，他生怕羅淑亞惱羞成怒，忙笑著解圍：「那天晚輩也是態度不好，跟豐領事大聲爭吵，兵役都圍了過來，豐領事在那種情況下開槍也可諒解。」

崇厚自知這話會使曾國藩氣惱，忙又對羅淑亞說：「曾中堂一向對貴國持友好態度，堅持守定和約，不願引起兵端，目前正在嚴令緝拿凶手，以正國法。」

曾國藩先是對崇厚的媚態頗爲不滿，後轉念一想，也不宜與羅淑亞鬧翻，眞的鬧翻了，對國家大爲不利，於是順著崇厚的話說：「公使先生不是問鄙人的態度嗎？我可以告訴先生，敝國朝廷的態度就是鄙人的態度。具體說來，一是捉拿迷拐人口、挖眼剖心的匪徒，二是嚴辦殺人越貨的凶手，三是訓誡辦事不力的地方官員，四是對貴國的損失表示歉意，並酌量賠償。」

羅淑亞見曾國藩談話的態度正在改變，暗思就是這個號稱中國中興第一臣的曾國藩，也不敢與法蘭西帝國對抗到底，他的膽氣充足了：「我注意到剛才貴中堂說的迷拐人口、挖眼剖心的匪徒時，並沒有涉及到敝國。對這個態度，本人表示欣賞。敝國教堂、育嬰堂沒有迷拐人口、挖眼剖心的人，但不保證貴國也沒有這樣的人。對這種匪徒的懲辦，本人和敝國政府是堅決支持的。對另外幾條，本人也很欣賞。不過，這些話都太空洞了。敝國大皇帝陛下通知本人鄭重向貴中堂及貴侍郎提出四條要求，請考慮。」

「哪四條，請公使先生提吧！」崇厚立即接話，曾國藩仍面色安寧、神態端莊，不斷以手撫鬚。

「第一，將聖母得勝堂按原樣修復。」羅淑亞的態度明顯地一步一步强硬了，「第二，禮葬豐大業領事。第三，查辦地方官，關於這一點，我還要說明一下，地方官不僅指在背後煽風點火的天津道、府、縣三級官員，還包括那天在浮橋邊指揮百姓鬧事的浙江處州鎮總兵陳國瑞。第四，所有參與殘害敝國公民的凶手，要一一緝拿歸案，殺頭示衆。」

崇厚本欲表示一一照辦，瞥眼見曾國藩臉色陰沉下來，遂不敢開口。曾國藩在心裏盤算著：重建教堂，懲辦凶手，已在考慮中；禮葬豐大業，雖然感情上有點彆扭，但作爲一個領事，下葬時禮儀稍隆重點，也還可以說得過去；唯有這查辦地方官，尤其還包括陳國瑞在內，這卻難以接受。沉默了很長一段時間，曾國藩臉色略顯平和地對羅淑亞說：「公使先生，這四條要求，鄙人尚無權給你以明確的答覆，待請示皇太后、皇上以後再說。」一見羅淑亞還有話要說的樣子，他又轉過臉對崇厚說：「崇侍郎，你陪公使先生到驛館去休息吧，老夫眩暈病又發作了，需要躺一躺。」說罷，以手扶著額頭。

羅淑亞起身時臉色悻悻，但一時又找不到藉口發作，曾國藩對羅淑亞做了一個抱拳的架式，現出無可奈何的模樣：「請公使先生原諒，老朽近年已是日薄西山，實不堪此煩劇。公使先生正當盛年，老朽羨慕不止。」

羅淑亞心裏狠狠地罵道：「這個老奸巨滑的政客！」嘴上只得說兩句客套話告辭，和崇厚一起離開文廟。

兩天後，吳汝綸、薛福成走進了文廟，曾國藩急切地問：「這兩天查訪的情況如何？」吳汝綸說：「福土庵的一百幾十個孩子，我一個個地問遍了，都是無父無母、流浪街頭的孤兒，或在天津，或在靜海、寶坻等地，被教堂、育嬰堂收留的。問洋人待他們怎樣，都說很好，有飯吃，有衣穿，比在街上流浪強十倍百倍，唯一不好的就是強迫他們唸聖經做禮拜，愛法國人，不愛中國人，若稍有反抗，就會挨打。」

「他們當中有人見到挖眼剖心的嗎？」曾國藩問。

「沒有，誰都沒見過，只是見到人快要死的時候，傳教士們以水洗其目，用手將其眼皮合上。這些，孩子們講，傳教士們說能使死者靈魂安寧地上天堂。」桐城才子吳汝綸本對教堂持強烈反對的態度，經過這兩天的親自查訪，他也對挖眼剖心之說表示懷疑。

「這樣看來，那的確是無稽之談。」曾國藩背著手在房裏踱步，對這一看法，他已是堅定地確立不變了。

「叔耘，武蘭珍將王三找到沒有?」

「找到了。武蘭珍先不肯找，我明白告訴他，事情鬧得這樣大，完全是他引起的，若不找到王三，講清這中間的關係，就要殺他的頭來平息衆怒。這下武蘭珍害怕了，第二天就把王三找來了。」

「王三是個怎樣的人?」

「據卑職看，這王三純是一個市井無賴。卑職審過他兩次。第一次他招供是教堂夏福音給他的迷藥。第二次又翻供，說迷藥是他自己製的，迷拐小孩的目的，是爲了把小孩賣給別人做兒子，賺幾個錢用，與教堂無關。眞正是個反覆無常的小人。」

「把他押起來，過幾天再審!」曾國藩命令，「還有武蘭珍，也押起來，但要與王三分開。」

曾國藩心裏很煩躁，背手踱步的速度越來越快。一會兒，他嘎然停止，轉臉向吳、薛:「這兩天，你們在街頭巷尾聽到什麼議論沒有?」

吳、薛對望了一眼，都不吭聲。

「難道一點都沒有聽到?」曾國藩又一次追問。

「大人，不是沒有，是多得很，天津滿城都在議論。」吳汝綸向來藏不住話，見曾國藩再問，便打破了與薛福成的默契。

「我曉得一定是議論很多，你們揀幾條主要的說說，尤其是關於我們來後的情況。」多走了幾步，曾國藩便覺得累了，他坐下，眼皮也無力地垂下來。

「百姓談得最多的是崇厚，說他是洋奴，是賣國賊。崇厚四處講，大人在他面前親口說的，誇則同分，禍則同當。他說大人完全支持他，故而無知愚民也遷怒於大人。說大人與崇厚穿一條褲子。」吳汝綸性格直爽，有什麼說什麼，他知道曾國藩清楚他的性格，說話也不遮擋。

曾國藩對崇厚不滿起來。誇則同分，禍則同當，這話是說過，但不應當四處亂講。他是要把我拉出來做他的擋箭牌？那天在羅淑亞面前的媚態，已使人看不順眼，難道他與洋人在背後有什麼交易嗎？今後得警惕點！

「還議論些什麼？」

「羅淑亞那天在大人面前提的四點要求也傳出去了。」薛福成答，「天津士民們都說，這四條一條都不能接受。他們說還是醇王愛國。醇王說的，要趁這機會，殺盡在中國的洋人，燒盡他們的房屋，永遠不許洋人踏進我大清國門，可惜曾中堂沒有這樣做。」

薛福成自己與醇郡王奕譞是一個觀點，「可惜，」下面那句話，是他本人的心裏話。曾國藩張開眼皮看了薛福成一眼，他已從這幾句話裏窺視出薛福成的心思，而且他也知道，吳汝綸也跟薛福成一個觀點。只有趙烈文穩重，目光遠，在赴津路上，趙烈文用「委曲求全」四字來概括這次辦案的方針，與他的想法完全一致。

昨天，曾國藩從塘報上看到了醇郡王、內閣學士宋晋、翰林院侍講學士袁保恆、內閣中書李如松等人向朝廷上的奏摺，他們都認爲津案乃義舉，洋人是犬羊，不能諭之以理，應採取强硬態度。言辭最激烈的是醇王，他說要殺盡洋人，雪庚申先皇之辱。曾國藩看完塘報後心中很不安。這些清議，只講情理，全不顧國勢，貌似最忠君愛國，實則將君國置於危險之中。他們不負實際責任，只憑著一張嘴巴，一旦惹出禍來，他們都會躲得遠遠的，還得要做事的文武們去收拾局面。對這些空談，本可完全不理睬，但可惱的是他們能嘩衆取寵，博得輿論的支持，對局中人掣肘甚劇；尤其是那個於世事一竅不通的醇王，偏偏要以王叔之尊來妄發議論，博取美名，令人批駁都不好下筆。清議誤國！曾國藩想，這四個字眞是千古不刊的眞理。

「凶手緝拿得如何了？」曾國藩不想再聽市井議論了，他決定不理睬這些浮議，按自己已定的方針辦。

「凶手還沒有抓到一個，士民們也不來揭發。」吳汝綸說，「水火會的人暗中傳話，誰告密，誰就是漢奸賣國賊，先殺掉他。」

「反了，這不是公開與朝廷唱對台戲嗎？」曾國藩氣得敲打扶手，「誰是水火會的頭子？」

薛、吳對望了一眼，都不作聲。

「你們知不知道？」曾國藩厲聲問。

「稟告大人，我們都不知。」薛福成答。

「叫張光藻來！」

周家勛、張光藻、劉杰撤職的上諭已在早幾天下達，奏請以布政使銜記名臬司丁啓睿爲署理天津道員、三品銜道員用晋州知州馬繩武署理天津知府、知州銜試用知縣蕭世本署理天津知縣，太后也已同意。周、張、劉等人搬出衙門，另賃屋居留天津，等候處理。張光藻聞訊趕忙來到文廟。

「水火會是個什麼團伙？」曾國藩一見張光藻進屋，便劈頭質問。

「回大人的話，天津水火會由來已久，向以手藝人及海河腳伕爲其主要成員。」

「爲何不取締？」曾國藩最恨民衆結伙成團，他認爲這都是些不安本分者所爲，只要有團伙，社會就不會安寧。

「回大人的話，水火會的人向來安分守己，沒有不軌情事，故未曾取締。」張光藻彎腰低頭回答，因恐懼，頭上臉上盡是虛汗。

「安分守己？」曾國藩冷笑一聲，「安分守己的人決不會結幫成派。這點都不明白，你如何能作百姓的父母官，怪不得天津鬧出這樣大的事來。」

「是，是！」張光藻更加害怕了，汗如雨下。「卑職失職，卑職失職。」

「我問你，誰是水火會的頭目？」

「大人進城的那天，跪著迎接的人羣中，第二個站起說話的人，便是水火會頭目徐漢龍。」

曾國藩想起來了，那是個粗黑的中年漢子，講了幾點對教堂的懷疑，當時心裏還稱讚他說得有幾分道理。「這是個很可怕的人！」曾國藩立時想起了湖南的串子會、半邊錢會、紅黑會一股香會以及湘軍中的哥老會，必須藉這個機會取締它！

「當時那人講完後，身邊站起幾個人，自己承認殺了洋人，那幾個也是水火會的人嗎？」

張光藻想起劉矮子、馮瘸子和徐漢龍一起來知府衙門找過他，料定他們一定是一伙的，便說：「那幾個人也是水火會的。」

「冀巡捕！」曾國藩對著後門喊，冀巡捕應聲出來。「速到知府衙門傳本督之命，立即將水火會頭目徐漢龍及該會打死洋人的歹徒抓起來，取締水火會！」

冀巡捕答應一聲，轉身便走。「慢！」曾國藩叫住。「再叫馬繩武懸賞：有前來檢舉凶手的，不論是否屬實，賞銀五兩；依檢舉後拿到正凶者，賞銀五十兩！」

曾國藩想：取締了蠱惑人心的水火會，抓起了他們的頭目，又懸重賞獎勵，總會有貪利之徒出來告發，那時再順藤摸瓜，一定可以拿到一批凶手。他為自己斷然處理這事感到滿意。現在，他期待的是海河三具洋屍的案子，能被趙烈文破獲。

九　關帝廟忽然鬧起鬼來

關帝廟一帶住的都是貧窮的小百姓：有做零頭生意的，有幫人佣工的，有撿破爛的，有撈魚摸蝦的，有沿門乞食的，有小偷小摸的，是天津城裏貧民區的一個縮影。這兩夜，好端端的關帝廟忽然鬧起鬼來。一早起來，人們便三五成堆，惶恐不安地議論著：

「五姥姥，您昨夜聽到了嗎？有個女人在河邊哭了大半夜哩！」

「聽到了，聽到了，我家姑爺膽子大，還偷偷地跑出門看了。那鬼牛高馬大，一頭黃髮披在肩上，邊哭邊訴。姑爺回來說，那女鬼八成是被砍死的洋婆子，都訴的洋話，他一句也沒聽懂。」

「五姥姥，三嬸子。」一個缺了條胳膊的男人開了腔，「不只是昨夜，前夜那女鬼也在哭，哭的時間短些，我聽得淸淸楚楚。」

「這可怎麼得了！」五姥姥嘆息說，「那洋女鬼寃魂不散，夜夜都會哭下去的。」

「光哭哭還好對付，就怕她找替身哩！」缺胳膊男人對著三嬸說，「據說鬼找替身，都找和她差不多的人。那女鬼三十多歲，她也許要找一個三十多歲的女人。」

「你莫亂扯！」三嬸子剛好三十多歲，她很害怕。「她是洋人，總不能找中國人做替身吧！」

「找不到洋人，就只得找中國人了。」缺胳膊男人一本正經地說。三嬸子嚇得更厲害了。

「我看那天砍死這幾個洋人的不是好人，八成是瓦刀臉那號的惡棍。」五姥姥低聲地說，一邊用手指了指前面的那個小棚子。

「我看也不是好人，好人就不會搶洋人身上的金器。」三嬸子附和。「喂，他四叔，聽說衙門出了告示，告發一個賞五十兩銀子哩！那天有五個人，你何不去領了這二百五十兩銀子來，發筆大財呢？」

「我哪裏不想啊！」缺胳膊男人說，「不敢呀，水火會的人知道了，我吃飯的傢伙就搬家了。再說，那五個人我也不認得。」

「唉！」五姥姥長嘆了一口氣。「殺洋人，也要殺壞洋人，過路的洋人無緣無故地被殺，也是冤枉，難怪她要哭，也不知要哭到哪時去，以後沒有安寧日子過啦。」

「老奶奶，抓住凶手，爲她報了仇，她就不再哭了，地方也就會安寧了。」一個生人插了話。

五姥姥回頭一看，身後站了一個白白淨淨的中年男子，腰間掛了一個大葫蘆。五姥姥大喜：「您是郎中先生吧！我的外孫子肚子痛兩天了，昨夜又哭了一夜，早一會子才合上眼，勞您駕瞧瞧。」

「行哇，您帶路吧！」

郎中跟著五姥姥走了十幾步路，來到一間用破板爛樹皮拼湊的屋門前，五姥姥剛一推開門，床上的小外孫就張口大哭起來。五姥姥忙走到床邊，揉著孩子的小肚皮，心疼地說：「好乖乖，別哭，姥姥給你請來了郎中，吃藥就好了。」

郎中走到床前，摸了摸小孩的肚子，又摸摸額頭，叫他伸出舌頭看看，笑著說：「姥姥，不要緊的，孩子肚子裏有蛔蟲。我這裏有現成的丸子，您倒碗水來，哄孩子吃兩粒，就會好。」

說著從袖口裏取出一個紙包來，從紙包裏拿出兩粒白色丸子遞給五姥姥。五姥姥哄著孩子就水吞下。果然，孩子不喊肚子痛了。五姥姥輕輕揉著孩子的小肚皮，孩子在姥姥的懷裏慢慢睡著了。

郎中說：「我再給您四粒，您中午、傍晚還給孩子吃兩次，每次兩粒，肚子裏的蛔蟲就會都打下來，再也不會鬧肚子痛了。」

五姥姥感激地說：「太謝謝您了，您要多少錢？」說著，從床上席子底下摸出一個黑布包來。

「老奶奶，這藥值不了幾個錢，送給您吧！」

「這怎麼行呢？您眞是好人呀！」五姥姥很感動。「我燒碗茶給您喝吧！」

「老奶奶，別忙，我坐坐就走。」

五姥姥拿起一隻未完工的鞋底，陪著郎中坐在門邊。

「請問老奶奶，你們剛才說的女鬼哭的事，眞有嗎？怪嚇人的。」郎中問。

「怎麼沒有呢？」五姥姥嚴肅地說，「教堂那邊打死的洋人不寃，那些洋鬼子該死。這幾個洋人，說良心話，是冤枉；人死了，身上的金鍊子、金戒指都被搶了。」

「老奶奶，打死洋人的那幾個人，是什麼樣的人？」郎中問。

「都是些混小子，十幾二十歲的人，不是附近的，我們都沒見過。」五姥姥一邊納鞋底，一邊回憶著。

「老奶奶，這附近有人認得他們嗎？」

「我估計那幾個人不是好東西，正經人都不會認得他們，我們這裏有幾個青皮，看他們認識不。」

「這幾個青皮叫什麼名字？」

「我也不知他們叫什麼名字，一個外號叫瓦刀臉，就住前面那間屋。」五姥姥用鞋底指了指前方。「還有一個叫二杆子，就住在瓦刀臉的對面。還有一個叫小太歲，住二杆子家的後面。這三個青皮都和不正經的人往來，也許他們知道。」

郎中和五姥姥又扯了些閑話，囑咐她不要誤了給小外孫吃藥，然後告辭了。

這郎中就是趙烈文，昨夜和前夜坐在河邊啼哭的女鬼就是他裝的。他今天一早已從三處議論的人堆裏得知那天是五個年輕人用刀砍、用槍戳，把三個洋人弄死的，搶走了一塊金錶，一條金項鍊，三只戒指。關帝廟周圍的人都說這幾個人不是好人。他把這些情況詳細地報告了曾國藩。

「今夜出動三十個士兵，把瓦刀臉、二杆子、小太歲一齊抓來，我親自審訊。」曾國藩指示。

半夜時，三個青皮都被帶上了燈火通亮的明倫堂。坐在至聖先師畫像下的曾國藩睜開左眼看去，一個臉又長又窄，一個又高又瘦，一個頭又尖又小。都是些不三不四的東西！他心裏想，猛地一拍驚堂木，喝道：「跪下！」

三個青皮一驚，雙腿不由地軟了，齊齊地跪下來。

「有人揭發，上個月在關帝廟殺洋人的五個歹徒與你們有關係，你們在本督面前從實招來！」

三個青皮都嚇呆了。瓦刀臉將雙膝向前挪動一步，哭喪著臉說：「大老爺，小的實在不認得那些人！」

小太歲也直磕頭，說：「小的不認得。」

二杆子低著頭不作聲。曾國藩看在眼裏，明白了幾分，將驚堂木又一拍。「本督給你們講清楚，水火會的頭目徐漢龍已被抓起來了，水火會也已明文取締，你們不要害怕水火會報復。若講出來，抓到了凶手，本督有重賞。」

「大老爺，小的講。」曾國藩的話剛說完，二杆子開腔了，「那五個人中，小的認得一個，他叫田老二。」

「住在哪裏？」

「河東田家莊。」

「他是個什麼人？」

「二十幾歲年紀，家裏務農，不過他從不種庄稼，只在外面混。」

「你沒認錯？」

「不會錯。田老二燒成灰，小的都認得。」

「下去吧，先賞你五兩銀子，等抓到凶手後，你再來本督處領賞。」

田老二抓來了。驚堂木一拍，他便嚇得全部招供了。小混混、項五、張國順、段起發也全部緝拿歸案。

在這同時，也有些爲貪圖五兩銀子來文廟舉報的，於是又捉拿了三十餘人。這些人一個也不承認殺了洋人，又無什麼東西可以作爲旁證，曾國藩無法給他定案。不過，他還是滿意的，至少有徐漢龍、劉矮子、馮瘸子及田老二這批共八人，自己都供認不諱，可以作爲凶手正法。他打算將案子作這樣的處理：重建教堂，禮葬豐大業，斬首八名凶手。他將這個設想奏報廷上。爲防止意外，又密請朝廷調正在陝甘的李鴻章帶兵來直隸，以及將駐紮在直隸的銘軍九千人東移張秋。

奏摺很快轉回來。上諭同意直隸兵力的部署，但對他只殺八人很不滿意，質問：洋人死了近二十人，中國只殺八人，如何向各國交代？嚴令他不得稍涉寬縱。曾國藩甚感爲難：洋人雖說死了近二十人，但有的死於亂拳，有的死於火燒，被捉拿的這三十餘人即使都動了手，又能指出誰打出了致死的那一拳呢？總不能把這三十多號人都拿去殺了吧！

上諭已使他夠爲難了，卻不料更令他爲難的事接踵而來。

十　委曲求全

「老中堂，法國公使羅淑亞、英國公使威妥瑪聯名來了一份照會。」這天午後，崇厚持著一個碩大的信套，坐一輛裝飾豪華的輕便馬車來到文廟。這些天來，崇厚每日必來一次，每次都要大談洋人如何在秘密調兵遣將、準備報復的事，使得曾國藩又厭惡又擔心，整天如坐針氈。曾國藩打開大信套，一張厚實光亮的白道林紙飄了下來。拿起一看傻了眼：一行行洋文赫然出現在他微弱的目光前。他飽讀中國詩書，卻不識一個洋文字母。正是痛感於此，幾年他重金聘請一個懂中文的英國人教紀澤、紀鴻讀英文法文，所幸兩個兒子都學得很不錯，尤其是紀鴻天資更高，現在已能流利地與洋人談話了。可惜，他們沒來天津。

「老中堂，晚輩已叫人用漢文翻譯了。」崇厚從靴頁子裏抽出一張紙，曾國藩見那上面寫著：

法蘭西帝國公使羅淑亞、大英帝國公使威妥瑪，致清國大學士、直隸總督曾：

爲照會事。上月貴國天津莠民由迷拐人口、挖眼剖心無稽傳聞而釀成血腥暴亂，我法蘭西帝國、大英帝國蒙受慘重損失，舉國爲之震怒，陸海兩軍向皇帝、女王陛下宣誓：不報此仇，誓不爲軍人。法蘭西帝國海雄號、騎士號、霸王號炮艦，早已集結在大沽，之所以未挺進天津者，蓋有所待也。時至今日，一個多月已過去，貴大學士來津亦達兩旬，貴國所作所爲，實令我等遺憾至極。羅淑亞公使代表法蘭西帝國所提出的四項要求，未見一項作明確答覆。爲此，我等受皇帝、女王陛下之命，特向貴大學士嚴正提出：貴國必須賠償損失費五十萬兩白銀，所有凶手立即正法，天津道員周家勛，知府張光藻、知縣劉杰實係暴亂之主使者，乃罪魁禍首，不殺不足以平我法英兩國之民憤，不足以慰無辜死難教士、貞女之靈魂。爲此，特敦促貴大學士在十日內斬殺三員之頭以表誠意。另，貴國總兵陳國瑞亦爲指揮莠民作亂之頭領，陳國瑞應以命相抵。

法蘭西帝國第三艦隊目前已航至紅海，它配有當世最精良之炮火，大英帝國駐加爾各答的第五艦隊亦已啓航。兩艦隊十天後將相會於大沽。貴大學士若不照辦，到時兩帝國艦隊將炸平天津，轟倒紫禁城。一切後果將由貴大學士承擔，勿謂言之不預也！特此正告。

「豈有此理！」曾國藩忿然作色，將照會往地上一甩。這種毫無遮掩的無恥恫嚇，這種主子指使奴才式的命令口氣，這種出格的無理要求，深深地刺激了他的人格，無情地凌辱了他的尊嚴，勃然誘發了他的好勝心。同時，作爲漢大學士的領班，奉命處理津案的中國代表，他也感到國家的尊嚴、太后、皇上的尊嚴受到了侮辱。

「崇侍郎，煩你先去轉告羅淑亞，威妥瑪，這個照會不能接受，尤其是以天津地方官員及陳國瑞抵命一節，簡直無理之極。我大清帝國的官員，縱然犯法，該由我太后、皇上處置，他們無權提出這種霸道要求，何況地方官只有失職之錯，決無抵命之罪。你先去口頭轉達，過兩天，本大學士會有正式函件回覆。」

曾國藩突然而發的强硬態度，使崇厚大出意外。他不是早就說過，以委曲求全的宗旨來辦津案嗎？這老頭子今天怎麼啦，火氣這樣大？崇厚拾起被曾國藩擲落在地的法英照會，又匆匆瀏覽一遍。語氣是生硬了些，但條件也並非不可接受。崇厚一心要將津案和平解決。他認爲只要不開仗，什麼條件都可以接受。多賠點銀子算什麼？又不要自己出！多殺幾個人算什麼？中國百姓有的是！殺道府也無所謂，直隸等著候缺的官員一大串！若一旦打起仗來，他崇厚就脫不了干係。第一，三口通商大臣本負有天津地面洋務責任，這一起由洋務引起的戰爭，他要首當其罪。第二，豐大業最先放槍是在他的衙門，他是津案的主要當事人。第三，曾國藩未到天津之前，他是處理津案的最高官員。平平靜靜地度過這個風浪，他向法國道歉回來，依舊可以做他的通商大臣；若兵衅一起，中國失敗，他重則殺頭，輕則充軍，此外別無選擇，必須說服這個倔硬的老頭子。要說服曾國藩這樣的人，崇厚自有一套辦法。

「老中堂，羅淑亞、威妥瑪這個照會，的確太過份了，就是晚輩看了也覺得氣憤。他們在老中堂面前算得什麼？老中堂是泰山崑崙，是萬里長城，他們有什麼資格『正告』，眞是放狗屁！」

崇厚說到這裏，完全是一副義憤塡膺的神態，曾國藩的火氣開始消了一點。他未能免俗，他和所有青壯年時立過大功的老人一樣，這兩年來，越來越愛聽恭維話、奉承話，全然不記十年前對左宗棠喜聽出格頌揚毛病的批評了。

「不過，老中堂，他們是有所依仗呀！」崇厚換成一副無可奈何的樣子。「他們依仗的是炮艦，是世界第一流的武器。我的衙門裏有好幾個法國英國佬，我暗地問過他們。法國佬說他們的第三艦隊有十艘兵艦，全部裝的是六十四磅重炮，並可一次裝十個連發，任什麼堅固的石城都不可擋住。炮兵的盔甲全由精鋼製造，一般鐵子都不能穿過，更何況刀槍了。英國佬說，駐在加爾各答的艦隊是英國遠東王牌艦隊，曾經征服過世界三十幾個國家，艦隊司令是英國第一號殺人不眨眼的魔王。他們說，這兩支艦隊只要開進天津港一放炮，不到一個時辰，天津就會變成一片廢墟，五十萬天津百姓將化爲一堆枯骨，京師將再次淪爲戰場，太后、皇上又要倉惶北狩。」

崇厚說到這裏，看了一眼曾國藩。只見剛才怒氣沖沖的毅勇侯無力地倒在椅子上，雙目微閉，數不清的皺紋深深地刻在蠟黃的長臉上，猶如一個處於彌留狀態中的病人！他已知這幾句話打中了老頭子的要害，於是移過身子，對著曾國藩的耳朵輕輕地說：「老中堂，晚輩還要稟告您一個不好的消息。」

「什麼事？」曾國藩的左目睜開了，背部離開了椅子。

「俄國、比利時、美國都已放出風聲，他們將全力支持法國、英國的軍事行動，要船出船，要炮出炮，要人出人，不達目的，決不罷休。」

三口通商衙門對洋人的信息一向最爲靈通，而曾國藩自己根本沒有這一套班子，他不得不依賴，也不得不相信崇厚所提供的情報。「看來對法國以外的那些國家的安撫，並沒有起到作用。」曾國藩心想。他的左目又閉上了，重新癱倒在椅子上，嘴唇動了幾下，似要說話，但終於沒有說出聲來。

崇厚站起來，走到曾國藩的身後，完全以晚輩後生的謙卑態度，彎下腰，輕聲說：「老中堂，晚輩知道您是一個頂天立地的英雄，寧折不彎，寧死不屈。但老中堂今天一身繫江山社稷之安危，繫中國數萬萬百姓之安危，繫皇太后、皇上之安危，己身可折，江山社稷不可折；己身可死，中國數萬萬百姓不可死，己身可辱，太后、皇上不可辱。老中堂，您就來一次委曲求全、忍辱負重吧！」

崇厚這時已語聲哽咽，幾乎要掉下眼淚來。曾國藩的思緒亂極了，體力也衰弱極了：「崇侍郎，你先回去，讓我好好考慮一下，晚上你再來！」

崇厚走後，曾國藩走進臥室，他按多年養成的習慣，關緊門窗，點上一柱香，開始冷靜地前前後後地仔細思考。過去他盤腿坐在床上，現在他已無這分體力了。他睡在躺椅上，腹部蓋一件舊馬褂，裊裊升起的輕煙，使他的思緒漸漸寧靜。

來天津二十天，津案的眉目已完全清楚了。發生在天津的這一樁教案，與發生在江西、四川、貴州、湖南等地的教案一個樣。是中國百姓長期對洋人憤激而成的大變。自從允許洋教在內地傳播以來，教堂到處滋事。凡教中犯案，教士不問是非，曲庇教民，領事不問曲直，一概庇護教士。遇有民教爭鬥，平民恆屈，教民恆勝。教民勢焰愈橫，平民憤鬱愈甚，鬱極必發，則聚衆而思一逞。天津教案之所以鬧得這樣大，洋人死得這樣多，完全是因爲豐大業先開槍打死劉杰家人的緣故。從這兩方面來看，曲在洋人，理在國人。曾國藩從這個方面想了以後，又換了一個角度想。

其他教案的直接起因，都由於教民的無理，中國人佔了理，天津這場教案的情況就複雜了。圍攻教堂，原因是教堂有迷拐人口、挖眼剖心的罪行，但此事查來查去都無確證。於情於理來說，洋人都沒有必要這樣做，因聽信無端謠傳而來圍攻教堂，理又在哪裏呢？豐大業先開槍打死人固然有罪，但頂多毆斃他，以命抵命而已，怎能藉此打死二十多人，燒國旗，毀領事館、育嬰堂、講書堂呢？死人中有多半又不是法國人，他們是受害者。更令人氣沮的是，這中間還有像田老二那樣的歹徒。就事論事，到底是曲在洋人，還是曲在國人呢？想到這裏，曾國藩不覺心寒起來。他離開躺椅，來回活動幾下，又坐到書案邊的藤椅上繼續想著。

盡管這樣，洋人畢竟是可恨的。中國人不歡迎他們，討厭他們的教會，他們爲什麼要死皮賴臉地待在中國呢？爲什要强行在中國傳播他們的教義呢？他們究竟意欲何爲？是爲了掠奪中國的財富，還是要迷惑中國人的良心？淸議也不是全然沒有道理的，我們應該藉此機會，將一切外國人統統趕出國門，從此以後，不與他們往來，關起門來辦自己的事。你的船堅，我們不稀罕；你的炮利，我們不需要；你的千里鏡看得遠，我們自古以來沒有這東西，也照樣行軍打仗，善用兵者亦能取勝。淸議畢竟代表中國的民情、民氣、民風。假若他曾國藩這時站在天津，如此振臂一呼，天下人都會豎起大拇指，稱讚他爲愛國英雄。而如今他卻要奉太后、皇上之命，代表中國向洋人低聲下氣賠不是，驅使工匠去修復百姓怒火焚燒的教堂，用隆重的禮節去安葬槍殺中國人的凶手，拿數十萬白銀去撫恤被人們恨之入骨的洋人，殺中國百姓的頭去平洋人的怨忿。他曾國藩哪怕功勛再大，地位再高，道理再充足，他的舉動也是逆民心拂民望，損國格墜君威的，他也會受千夫所指，遭萬人唾罵，像張邦昌、秦檜那樣，作爲一個漢奸賣國賊而遺臭萬年。

曾國藩想到這裏，渾身顫抖，不能自己。他嘆息自己命苦，不料老來遭此大難。如果這時仍在兩江，或調在除直隸外的任何一省，這種倒楣的事也不會輪到他的頭上來。說不定還可以講幾句體面話，猶如二十多年前的家信中所寫的那樣，稱讚姚瑩斬殺英夷爲大快人心之事，還送詩給前往福建做官的金竺虔，鼓勵他：「海隅氛正惡，看汝斫長鯨。」

當然，現在也可以急速給太后、皇上上書，歷數洋人之罪，力申民氣可用，向洋人宣戰，以自己的聲望，說不定太后、皇上也會採納，但後果會怎樣呢？十年前，朝廷與洋人接仗，大大小小也打了不下百場，但幾乎無一仗佔上風，有時候看起來是勝利，旋踵而來的便是更大的慘敗。三十年前的那次燒鴉片煙的戰爭，給剛剛進入仕途的曾國藩以深刻的刺激，直到今天，他仍然清楚記得。當年道光帝派林則徐到廣東去禁煙，又同意他以武力回擊英國人的武裝侵略，但後來仗打敗了，道光帝又把責任全部推到林則徐的身上，將他革職充軍。道光帝號稱聖明，頗思有所作爲，尚且如此出爾反爾。太后乃婦道人家，皇上爲未成年的童稚，更不能指望他們承受開仗後的巨大風險。到頭來，自己就會變成把國家推進災難中的罪魁禍首，而國家必定也在人力、財力上蒙受著大百倍千倍的損失。

「大人，大沽口水師總兵送來急報，洋人又開來六艘炮艦，連前次三艘在內共有九艘，全部荷槍實彈。」趙烈文心急火燎地推門進來。

「哪個國家的?」

「法國的。」

曾國藩大吃一驚。照會上說，法國的炮艦還在紅海，這六艘戰艦又是從哪裏開過來的呢?這些可鄙的洋人，又凶惡又狡詐!

「你代我寫個便箋，告訴水師呂鎮，叫他不要驚慌，作好戰爭準備，我正調集大軍前往大沽口援助。」

「好，我就寫。」

「你還代我給省三寫封信，叫他立即從張秋出發，前來天津聽命!」

「是。」

曾國藩長噓一口氣，說:「省三這封信，本應我親筆，但我今天太忙，不能分心。你信上說明一下，寫好後，我簽個名。」

趙烈文轉身出去，然後再把門輕輕帶上。

這個意外的軍情，迫使曾國藩立即把思路轉到對待羅淑亞、威妥瑪的照會上來。「兵端決不能自我而開！」這個赴津前夕便已定下的決策，此時更加堅定了，那麼，剩下的便只有委曲求全一條路！「人在矮檐下，不得不低頭呀」屈辱的選擇，使曾國藩痛苦莫名！修復教堂和懲辦凶手，都還好辦，五十萬銀子雖然多了些，也忍痛拿出來算了，禮葬豐大業雖不情願，也忍受一下就過去了，只有官員抵命一事是萬萬不可接受的，這不僅大損朝廷尊嚴，也於國法不合。僅這一條不同意，大概也不至於使得和局決裂。

傍晚，崇厚一進文廟，就將大沽口新增六艘法國兵艦事，作為一條大新聞告訴曾國藩，又一次勸他全部接受法英兩國的照會。

「崇侍郎，你明天代表我去回覆羅淑亞、威妥瑪，就說除官員抵命一節不能接受外，其餘幾條都接受。」

「老中堂，何必為這幾個人壞了和局大事呢？」崇厚面有難色地說。

「崇侍郎，你身為朝廷要員多年，當知維護我大清帝國的尊嚴。」曾國藩一臉正色地說，「這四個官員絕對不能抵命，寧可冒開仗之大不韙，老夫在這一條上也不會讓步。如果洋人硬要堅持，你可告訴他，我九千銘軍正在向天津靠攏，李中堂的平回淮軍也已奉調來直隸，我即使落得個當年林文忠公充軍伊犁的下場，也在所不惜。」

在曾國藩毫無商量餘地的態度面前，崇厚只得軟下來。他立即又換成滿臉媚笑，說：「老中堂的骨氣，晚輩萬分欽佩，只是我奉老中堂之命前去與洋人談判，還請老中堂給我一個轉圜的餘地。」

「如何轉圜？」曾國藩皺起兩條掃帚眉。

「我想，對周道、陳鎮等人，老中堂堅持只予撤職處分，洋人堅持要抵命，雙方都各持一端，事情就僵住了。這時候需要採取一個折衷的辦法來解決。」崇厚擺出一副老練外交家的姿態。「晚輩長期來與法、英兩國關係都還可以，也適合充當一個調和居中的人。晚輩到時提出這樣一個方案，即以嚴重失職，給國家造成重大損失爲由，將周道等交刑部嚴議。老中堂看如何呢？」

「不合適，太重了。」曾國藩搖頭。

「老中堂！」崇厚急了。「這看來是我們向洋人讓了一步，其實只是做做樣子而已。週道等人的處分再重，亦只發軍台效力。在我們自己國家裏，這話還不好嗎？待事態平息，洋人出了口氣後，老中堂再一紙保奏，他們不又回來了？照舊當他們的道員、總兵。晚輩還可以私下對他們講，老中堂這樣做，也是沒有法子的事，老中堂爲國家委曲求全，請他們也爲國家暫時委屈一下。」

巧舌如簧的崇厚這番話，終於打動了曾國藩，他授權崇厚作這樣的折衷。

這幾天，新上任的署天津知府馬繩武，爲答謝曾國藩的重用之恩，送來一個絕妙的點子，幫曾國藩從另一困境中解脫出來。

前些日子，青縣紅柳村吳姓和陸姓發生械鬥。陸姓吃了虧，死了六個人，上告縣令，縣衙門出兵抓了吳姓七個凶手。案子報到知府衙門。一個老書吏悄悄對馬知府說：「太后要曾中堂多殺幾個凶手，曾中堂爲證據不足而發愁，青縣這七個凶手橫豎是死，不如將他們算作殺洋人的凶手，這不幫了曾中堂的大忙？」

馬繩武聽了大喜，連聲誇獎書吏腦子活。他正愁沒有什麼來報答曾國藩，這可眞是大禮一件！不過，他轉念一想，又覺不妥：「這些犯人，都要對他們宣佈罪狀，還要他們簽字畫押的，他們會肯嗎？再說，陸姓要借此雪恨，他們也不會同意的。」

「哎呀呀，我的好老爺，這事您就交給我辦好了，你批一千兩銀子給我，我保證把事情辦得熨熨貼貼！」

老書吏支出一千兩銀子，自己留下二百兩，然再將八百兩分作兩半，陸姓四百兩，吳姓四百兩。吳姓七個凶手家裏，每家分四十兩，族長也分四十兩，剩下八十兩，闔族每戶攤了二兩多。陸姓也是這樣，他們族戶少，每戶攤了三兩多。這下皆大歡喜。吳姓的族長和家屬就來勸凶手，叫他們以國家大局爲重，在燒教堂、殺洋人的案子上簽字畫押，保證死後給他們埋上等棺木，建上等墳墓，年年族裏公祭。陸姓的族長就來勸死者的家屬，叫他們顧全大局，千萬不要再上告了，仇人已經殺了，管他死於什麼名目，何況每戶都得到了撫恤金！

「馬太守，你眞聰明能幹！」曾國藩從心裏讚賞，從心裏感激。這個主意眞是太好了，既可向朝廷作交代，又可堵塞洋人之口，自己的良心也不受遣責。

「老中堂，若朝廷嫌少，還可以照這個辦法多殺幾個。」馬繩武得意地說，「牢房裏囚禁著七八個死刑犯，反正都是一死，到時給點銀子給他們，叫他們畫個押就行了。」

世上也有如此會偷樑換柱的人！曾國藩眞的覺得自己腦子太笨了。他當夜就給太后、皇上上摺：正法的凶手又增加了七名，若嫌少，可由總理衙門去探詢法國公使的態度，他們希望殺幾個報來數字，我們照辦。

崇厚也興沖沖地前來稟報，說羅淑亞、威妥瑪答應了折衷處理，並提出釋放武蘭珍、王三，爲了和局的早日實現，他也代表曾國藩同意了。羅淑亞、威妥瑪表示滿意，連夜回北京去了。曾國藩和崇厚都不知道，法國公使羅淑亞接受了這個折衷方案並匆匆趕回北京，是因爲他的國家正面臨著嚴重的局面。原來，法國皇帝拿破倫三世正醞釀著與它的鄰邦普魯士打仗，他要將全副力量用在歐洲，遠東的痲煩事需盡早結束。沒有幾天，法國向普魯士宣戰。一個多月後，法軍敗於普軍，拿破倫三世宣佈投降。當時，只要清廷和曾國藩與羅淑亞再僵持一段短時期，事情就會起大變化，然而他們太昧於世界大勢了，竟然一點不知。曾國藩聽了崇厚的稟報，雖嫌他擅自作主，但事到如今，也只得認可了。

正當曾國藩慶幸國家和百姓免除了一場深重災難的時候，他自己卻墜入了人生恥辱的深淵，不僅使他生前悔恨莫及，甚至一百多年後的今天，也不能得到歷史的諒解。

十一　外慚清議，內疚神明

曾國藩決定將天津地方官交刑部嚴議以及與洋人訂定抵命人數的奏摺由塘報傳出去後，京師及各通都大邑一片嘩然，「賣國賊」的罵聲四方騰起，國子監裏一批熱血青年，憤怒地奔到虎坊橋長郡會館，將會館楹柱上曾國藩的親筆聯語：「同科十進士，慶榜三名元」，狠狠地用刀刮去。

這副聯語是曾國藩在道光二十五年時題寫的。先年順天鄉試，周壽昌高中南元。次年會試，蕭錦忠赫然中了狀元，孫鼎臣朝考第一。這一科湖南八進士全是長沙府人，又貴州進士黃輔相、黃彭年叔侄，原籍亦屬長沙府。這下子，在京的湖南人沸騰了。恭賀長沙府人才薈萃，羣星燦爛，尤其是蕭錦忠的狀元，更令萬目豔羡。清代的狀元大半出自兩江，湖南在此之前，僅只一個衡山人彭浚得此殊榮。蕭錦忠獨占鰲頭，實爲湖南省、爲長沙府掙得莫大的臉面。於是在京長沙籍官員合資在長郡會館擺酒演戲，隆重慶賀。剛遷升爲詹事府右春坊右庶子的曾國藩，是公認的長沙府後起俊秀，大家推他撰一副聯語作紀念。那時的曾國藩正是才華錦繡、仕途得意的時候，他靈感頓起，大筆揮就：「同科十進士，慶榜三名元。」盛事佳聯，一時在京中士大夫中傳爲美談。曾國藩一生對此聯也甚感滿意。這副即興而作的聯語，後來便被工匠刻在長郡會館的楹柱上，作爲長沙府光榮歷史的最好紀錄而永久保留。這些年來，隨著曾國藩名聲的顯赫，它的名氣也越來越大了。

守會館的老頭子無法攔阻，只有跌足嘆息。刮去了聯語後，又有人喊：「湖南會館的匾也是那個老賣國賊寫的。」

「砸掉它！」衆人立即作出決議，監生們又一窩蜂跑到敎子胡同湖南會館。一陣痛罵後，將高懸在大門口的藍地金字大匾取下來，用腳踩，用石頭砸，直把這塊匾破壞得粉身碎骨，方揚長而去。

連遠在蘭州指揮楚軍與回民作戰的陝甘總督左宗棠也憤憤不平。從同治三年來，左宗棠一直不與曾國藩通書信。那年曾國藩主動修書與之言和，因信中未有道歉認錯之語，左宗棠便負氣不覆。曾國藩也沒有再給他去信。後來他意識到自己的負氣不對，但他一貫好強，即使錯了也不認錯，彼此之間便這樣絕了私人書信。不過公務往來依然頻繁，雙方都不苟且，每有拜疏，即錄稿咨送，完全是一派鋤去陵谷、絕無城府的光明氣象。曾國藩要將長江水師改爲經制之師，左宗棠支持。左宗棠在陝甘打仗，分派給兩江的糧餉，曾國藩總是按量按期地運去，又主動將後期湘軍中德才兼備的名將劉松山推荐給左宗棠。劉松山及其統率的老湘營成爲左宗棠的精銳。今年正月，劉松山戰死，其侄劉錦堂接統其軍，智勇不在乃叔之下。左宗棠爲此甚感曾國藩之德。一次兩江總督衙門會議上，有人稱讚左宗棠爲西北第一人，曾國藩接話：「豈只是西北，實爲當今天下第一人。」這話傳到陝甘前線，左宗棠心裏又喜又愧。喜的是他的勞績爲全國所矚目；愧的是自己的胸襟遠不如曾國藩的寬廣。在這種心情下，左宗棠在奏報劉松山戰死時，將曾國藩誠懇地讚揚了一番。不過，這次他又大爲不滿了。心裏雖然對老朋友已無芥蒂，面子上卻拉不下，他不直接給曾國藩來信，要總理衙門轉達他的態度：「津郡事變由迷拐激起，義憤所形，非亂民可比。索賠似可通融，索命則不能輕允，懲辦地方官員亦非明智之舉，正宜養民鋒銳，修我戈矛，示以凜然不可侵犯之態，方可挫夷人凶焰而長我中華之志氣！」

在湘潭設帳講學，弟子眾多，儼然有一代宗師之稱的王闓運也通過湖南巡撫衙門，給曾國藩寄來了一封懇切的長信：

宮太保爵中堂乃當代山斗之望，九重所倚重，萬姓所瞻依，兼之十餘年之戰功，十餘年之德政，史册煥其勛業，而華夷憚其威望者也。且津民之性悍而驁，倘因夷人而加辜於津之守令，必致觸怒於閭閻，其患有不可勝言也。《書》不言：「顧畏民岩」乎？《傳》不云「衆怒難犯」乎？願熟思而詳慮。國體不可虧，民心不可失，先皇帝之仇不可忘，而吾中堂之威望不可挫！宗社之奠安，皇圖之鞏固，華夷之畏服，臣民之歡嘆，在此一舉矣。昔王禹稱曰：「一國之政，萬民之命，懸於宰相。」可不慎歟！倘中堂不能保昔日之威，立今日之謨，何以報大恩於先皇，何以輔翼皇上，何以表率乎臣工，何以懲乎天下後進之人？

類似於王闓運這樣的信，一日數十封，從京師，從江寧，從武昌，從安慶，從長沙，從兩廣，從川貴源源不斷地投寄天津，猶如一支支利箭，一齊向他的心窩射來，直欲把那顆衰竭的心臟穿爛，化成肉醬。

天津城內，周家勛、張光藻、劉杰的家門口，這些天來，慰問的人絡繹不斷，憐憫之淚，不絕於面。本來官聲平平，卻突然都成了勤政愛民的清官賢吏了。街頭巷尾，不知誰編的童謠在四處傳唱：「升平歌舞和局開，宰相登場亦快哉。知否西陲絕域路，滿天風雪逐臣來。」

曾國藩這時方才明白輕聽崇厚之言，將周家勛等人交刑部嚴議是一個絕大的錯誤。他心裏痛苦萬分，悔恨不已。他恨自己不能堅持定見，更恨崇厚事事圖悅洋人，將他推到國人唾罵，皆曰可殺的悲慘境地。奏疏已經拜發，猶如潑水不可覆收，他每天夜裏默默地向神靈禱告，求太后、皇上能寬容這幾個可憐的地方官，莫讓自己的過錯造成事實，使良心稍得安寧。

誰料幾天後上諭下達，速將天津地方官押來刑部歸案，重申殺十五人不足以平洋人之怨，務必嚴加審訊在押犯人，不可寬貸，但又對「訂定人數，如數執行」的提法予以駁斥：「衡情定罪，惟當以供證爲憑，其無枉縱，豈能預爲懸擬，强行就案？」

曾國藩有苦說不出，眞的到了上下指責、左右爲難、千夫所指、百口莫辯的地步了。眩暈病又復發，左目愈加昏花，大白天，眼前的人和物都如同在霧裏。他自知不久人世，也願速死，致書給兒子，叫他們將棺材早日做好，以免臨時措手不及。

丁啓睿、馬繩武、蕭世本、趙烈文、吳汝綸、薛福成等人整日守在床邊，服侍勸慰。曾國藩身心已完全憔悴，不能多說話了，只是反反覆覆地重複著八個字：「外慚清議，內疚神明！」

時至今日，別的辦法已沒有了，唯一可行的，是用銀子來彌補，但曾國藩又犯難了。他一貫於財產看得很淡，也不打算給兒女留一大筆錢。祖父星岡公有一句話，他信奉一輩子：「命裏有飯吃，再無錢財也不得挨餓；命裏挨餓的，先人留下的錢財再多也沒有飯吃。」多年來，他在養廉費裏只存得二萬兩銀子，以作養老用。可以從中拿一部份出來，但不能全拿，總得留一些。他將必須開支的部份作了仔細考慮後，決定拿出七千兩。三人分，每人只得到二千多，少了。實在無法可想時，他把此意透露給趙烈文。趙烈文一聽，立即慷慨表示：「大人此舉，驚人世而泣鬼神，古今中外無先例。烈文受大人栽培多年，粗知大義，豈不受感動？督署幕僚，雖不能說人人都持烈文之想，但亦十占八九，我明日快馬回保定，三日後來津覆命。」

三天後趙烈文帶回了一萬三千兩銀票，全是直隸總督衙門幕僚們湊的，沒有驚動一個地方官員。曾國藩很是感激。趙烈文勸曾國藩自己不必再拿錢了，他如何肯依！這樣，連同他的七千，共有二萬兩銀子。周道、張守、劉令每人各五千兩，剩下的五千兩，他反覆思考後，決定給徐漢龍、劉矮子、馮瘸子每人五百兩，紅柳村的七個人每人一百兩，田老二等五人每人也發六十兩。

這種事，不要說以往，就是幾天前曾國藩都不會做。傷人者賠錢，殺人者抵命，這是自古以來最基本的法律，何況殺了外國人，險些引起一場浩大的災難。現在，全國各地的輿論終於使他清醒了：這畢竟是長期積怨引起的衝突，從根本上講，理虧的是洋人而不是津民，不能簡單地就事論事。尤其是徐漢龍、劉矮子、馮瘸子，他們是出自愛國敬官長的義憤，殺他們的頭的確有些冤屈；田老二等人固然是趁火打劫的歹徒，但在這樣一場複雜的案件中，殺他們的頭，也間接刺傷了百姓的愛國之心，權且以這點銀子來作補償吧！

聽說紅柳村莊打死人命的凶手，只因承認是爲殺洋人而死，就每人得一百兩銀子，監獄裏幾個家貧的殺人犯在親屬的勸說下，也表示願意在殺洋人的認罪書上畫押，臨死前得一百兩銀子，作爲對家庭的報答。於是，曾國藩勾出五個殺人犯來，每人也發他一百兩銀子。剩下的二千兩銀子，則用來周濟育嬰堂裏逃出的孤兒以及那天誤傷的中國人和附近受害的百姓民房。經過這樣一番安排，曾國藩心靈深處似覺好過了些。

十二　萃六州之鐵，不能鑄此一錯

這天上午，周家勛、張光藻、劉杰就要上路了。京津古道接官廳裏，曾國藩帶著丁啓睿、馬繩武、趙烈文等人擺了一桌簡單的酒菜，他要親自為代百姓受過的天津地方官員敬酒餞行。

與一般的犯官不同，周家勛等人並沒有套上枷鎖，只是摘掉了頂翎，褫去了官服，一個個滿臉陰晦，委靡不振，穿著便服的曾國藩親出廳外，將三人迎進內室，然後恭請他們上座。周家勛忙說：「老中堂親來送行，已使犯官感激不盡，豈敢再僭越上座。」

張光藻、劉杰也說：「犯官不敢！」

「今日事與一般不同，你們權且坐一回，老夫尚有幾句話要說。」

看著骨瘦如柴的總督那副懇摯的模樣，周家勛等人只得告罪坐下。戈什哈上來，給每人斟了一杯酒。曾國藩端起酒杯顫巍巍地站起，慌得座上的人全部起立。

「今天是三位進京受審的日子，大家的心裏都不好過，也無心喝酒，老夫藉這個形式，不過說幾句話而已。我敬各位三杯酒，各位都不要推辭，且聽我說說心裏話。我先請大家都把手中的這杯酒喝了。」

眾人都不敢推辭，只得喝下。丁啓睿說：「老中堂，您坐下說吧！」

大家都說：「請老中堂坐下。」

「都坐下吧！」曾國藩坐下，也招呼大家坐下，然後沉重地說：「老夫奉太后、皇上之命，來天津處理民教之案，感慨良多，教訓良多，悔恨良多。」

說到這裏，曾國藩停下，拿起手絹揉了揉昏花的眼睛。昔日那兩隻給人印象極深的三角眼，因爲眼皮的鬆弛、眼角的多皺，更因右目無光、左目視力微弱，而變得如同兩隻乾死的小泥鰍。他現在手絹已不能須臾離手，過一會兒便得擦擦，否則眼角粘糊，人物莫辨了。不要說離職的前任，就是在職的現任也都心事重重的，大家靜靜地聽著曾國藩嘶啞蒼老的心曲。

「民教衝突，各地都有，但後果無一處有津郡的嚴重，事情弄成這樣，是太令人痛心了。」

曾國藩的酒量向來不大，去年以來，因身體日壞，他幾乎滴酒不沾，剛才那杯酒，也只是象徵性地吮了一小口。現在，戈什哈給他上了一杯熱茶，他喝了一口。「民教仇殺，根本上說，是洋人理虧，這是沒有話說的了，但挖眼剖心的傳聞竟然有那麼多人相信，使人費解；還有的說洋人拿眼珠子熬銀，這不是愚蠢透頂嗎？居然也有人相信。哎！愚民無知尚可說，周道、張守、劉令，你們都是讀書明理的聰明人，不是老夫指責你們，你們早就應該和洋人聯繫，和他們一起出來澄清這些無稽謠傳呀！」

「老中堂訓斥的對，卑職等是疏於職守。不過，洋人也是蠻不講理的，他們拒絕合作。」周家勛插話。

張光藻接過話頭說：「五月初，育嬰堂裏的小孩大量發病，死了不少。百姓得知後，要求育嬰堂把這些孩子都放出來。那次圍的人也很多，修女怕出事，提議公舉五個代表進堂檢查。人推選出來了，正要進堂，豐大業來了，不准中國百姓進，還破口大罵。這也是百姓致疑的一點。」

曾國藩點點頭，說：「豐大業是個橫蠻已極的人，這點我知道。但關於挖眼剖心的事，跟教堂的夏福音等人講清楚，我想他們應會合作的，他們也要辟謠呀！再一點，發現有百姓圍教堂，不要等豐大業出來，各位就要設法早點疏導。常言說魚龍混雜、泥沙俱下，那麼多的人裏面，能保證沒有莠民歹徒嗎？他們就希望亂，亂則對他們有大利。我們爲父母官的，第一大職責就在於維持地方安靜，倘若那天早點驅散人羣，也就不會有後來的一切了。」

衆人都點頭，心裏想：是的，早點驅散就沒事了，現在後悔已晚了。

說到這裏，曾國藩又舉起酒杯：「這些都已過去，不說了，請諸位喝下這第二杯酒。」

大家都遵命喝下。曾國藩望著周家勛等人，接著說：「雷霆雨露，皆是春風。諸位都是國家的美才良吏，這年把兩年暫時受點委屈，不久必當起復，再肩重任。古人說，天下興亡，匹夫有責，何況你我？我們都要於此事吸取教訓。這教訓是什麼？就是我大清國必須自强。三十多年來，我們與洋人之間的衝突，都是我理直，彼理曲，但恆以我吃虧彼沾光而告終。這原因便是我弱彼强。洋人不講道理，只論强弱，我們如果不自强，便永遠會受洋人的欺侮。」

接官廳一片寂靜，桌子上擺的幾個菜早已涼了，大家都不想去動它，幾顆苦澀的心在困惑：老中堂的話說出了與洋人相交的要害，但我們大清國這樣一盤散沙，它何時才能夠自立自强呢？

「各位再履任時，一定要在自己的轄地內注重洋務，辦起一兩個工廠，多造一些機器出來，如果各縣各府都這樣，慢慢地，我們也就和洋人一樣地富强起來了，這是我們自强的根本。毀教堂，殺洋人，是達不到這個目的的。」

「老中堂，辦機器廠，一無人才，二無母機，如何辦呢？」劉杰問。他今年只有四十幾歲，還很有一番雄心，他相信曾國藩的話，暫委屈一兩年後必會起復，今後的仕途還長得很哩！這次事件對他的刺激太深了。他好歹也是一個正七品縣太爺，卻連自己的侄兒都不能保護，到頭來，還得拋妻別子，遠戍軍台。說來說去，還不是自己的國家太弱了嗎？他暗地發了狠心，一旦起復，即謀自强！

「劉明府！」曾國藩這一聲稱呼，已撤職的劉杰聽了十分感激。「只要你辦機器廠，人員、母機，老夫全部負責提供。」

劉杰重重地點頭，兩眼充盈著淚水。

「另外，爲杜絕今後民教再起糾紛，我已給太后、皇上上了一個摺字。」曾國藩轉臉對丁啓睿等人說，「摺子中對洋人的傳教提出了幾條限制。比如說，今後天主堂也好，育嬰堂也好，都歸地方官管轄。堂內收一人或病故一人，一定要報名註册，由地方官隨時入堂查考。如有被拐入堂，或由轉賣而來，聽本家查認，按價贖取。教民與平民爭訟，教士不得干預相幫。」

「這就好了。」丁啓睿忙說，「早這樣的話，哪裏還有民教糾紛發生！」

「如果先有這樣的章程出來，再有百姓鬧事，那就是我們的責任。朝廷處罰，我也心甘情願。」張光藻說。他是委屈極了，算計得好好的，平平安安過幾年後就回籍享清福，安度晚年。偏偏就船要靠岸時，卻遇傾覆之禍。他沒有劉杰的自信，他很悲觀，他總覺得這條老命會死在謫戍的路上。

「老中堂想得周到，只怕洋人不會同意。」署知縣蕭世本說了一句洩氣話。

「蕭明府的擔心不是多餘的，我也只是盡我的職責罷了。」曾國藩並不對這句話生氣。他又一次舉杯，對周家勛等人說：「這是第三杯酒，請諸位賞臉喝下，我還有一件重要的事要說。」

大家都喝下，悚然聆聽。

「這次三位進京受審，老夫心裏深感對不起。只是法國公使羅淑亞堅持要你們抵命，並出動大批兵艦，揚言將天津炸成焦土，還要轟倒紫禁城。也是老夫一時失了主見，讓你們遭此不應有的委屈。這些日子，老夫慚愧淸議，負疚神明，後悔萬分。」

曾國藩又掏出手絹來擦拭眼睛。手絹在眼皮上停留著，許久沒有拿開。周家勛等人都流出了眼淚，丁啓睿等人也很傷感。趙烈文勸道：「大人不必過於悲傷。大人的苦心，周觀察他們都是能夠體諒的。」

「這都是卑職等咎由自取，老中堂不必難過。」周家勛說。

「中堂也莫難受了，這都怪我們的命不好。」張光藻說。

「大人還不是和我們一樣，也受盡了委屈。」劉杰說。

「三位能夠如此體諒，對老夫是個很大的安慰。」曾國藩終於拿開了蒙在眼皮上的手絹，嗓音愈加嘶啞蒼老了，「你們先且寬心前去。按刑部法律，三位一定會受充軍處分。我已寫信給恭王，請他給刑部打個招呼，盡量不去伊犁，到東北去。白山黑水之間，是我大淸發祥地，你們去看看體驗一下也好。只要老夫不死，兩年後，我一定爲諸位上個保摺，請太后、皇上將諸位官復原職。」

周家勛等人十分感動，一齊說：「多謝老中堂關照。」

「另外，督署衙門諸公一起湊了點銀子，雖不多，卻是他們的一點心意，將來到戍後收贖及路費均可敷用。惠甫，你拿給他們吧！」

趙烈文從靴頁子裏掏出三張銀票來，每張五千兩，分送給周、張、劉一人一張，說：「老中堂一人拿了七千兩，幕府衆人受老中堂感動，也湊了一點。」

周家勛等人再也忍不住，拿銀票的手抖個不停，淚水奪眶而出，終於一齊跪在曾國藩面前「謝老中堂天高地厚之恩！」

「起來，時候不早了，上路吧！一路上多多珍重，家裏有放心不下的事，寫封信來告訴老夫。」

三個革職的官員猶如遠行的遊子流淚告別父母似的，對著曾國藩磕了三個響頭，然後起身走出接官廳。出大門一看，衆人都驚呆了。京津古道兩旁，已跪下數百津郡百姓，有的面前擺著小几，上面插著紅燭線香，有的前面擺著一隻煮熟的母鷄，有的提著酒壺，端著酒杯，尤其是那三把杏黃軟綢萬民傘，格外令人矚目。見周家勛等出來，人羣中一聲聲高喊：「老公祖委屈了！」「老父台，你們是青天大老爺呀！」「老爺，你們不能走哇！」場面甚是酸楚。周家勛等剛抹去的淚水又滔滔不絕地滾了下來。持萬民傘的三人走出隊列，來到他們面前，雙手將傘獻上。周、張、劉一人接了一把，哽咽著說：「謝謝父老鄉親！」幾個頭髮花白的老太太走出來，每人手裏都拿著一件東西：熟鷄、煮肉、鷄蛋、煎餅等等，硬要他們收下。周家勛等人也只得接了一點。

曾國藩把這一切都看在眼裏，慚愧、羞赧、悔恨、悲哀一齊在心頭奔湧，如同眼前渾濁急湍的海河水，撞擊著他的心靈，震撼著他的魂魄，嚙咬著他的肢體，抽打著他的雙頰。他不敢走出門外，只是倚著門框，呆呆地凝望著眼前這一幅極爲罕見的令人揪心的送別圖。

忽然，一個十六七歲的讀書人裝束的小青年衝出人羣，手中捧著一張大白紙，直向接官廳奔來。趙烈文怕是刺客，忙上前攔住。那小青年高喊：「天津滿城都貼滿了訃告，我怕曾大人看不到，特爲送他一張。」

「惠甫，放他過來。」曾國藩有氣無力地招了一下手。

那小青年大步走過來，把紙塞給曾國藩，立即轉身跑了。曾國藩看時，那上面寫著：

不孝男曾國藩罪孽深重，不自殞滅，禍延顯考徐漢龍、劉尊夏、馮護華，痛於同治九年八月穀

旦舍身殉難而亡，凡屬孝弟忠信、禮義廉恥之士，莫不哀此訃聞。孤哀子曾國藩泣血稽顙、期服侄崇厚痛心頓首、護喪功服弟趙烈文、吳汝綸、薛福成等拭淚拜。

曾國藩只覺得眼前一片黑暗，身子早已癱倒在門檻上。趙烈文、丁啓睿等忙將他扶起。好半天，他才徐徐睜開左目，只見周家勛、張光藻、劉杰還在與送行的百姓涕淚話別。他從心底裏長長地嘆出一口氣，無限哀傷地說：「萃六州之鐵，不能鑄此一錯！」

曾國藩在接官廳裏對周家勛等人說的話及贈送一萬五千兩銀票的事，很快便被崇厚知道了。他生怕曾國藩改變態度，已成定局的事又起變化，便藉探病爲由，試探地提出，請朝廷增派大員前來天津，以便曾國藩有空養病。曾國藩也正感自己負疚太深，希望有人來與他分擔責任，便立即同意。於是崇厚上摺，說曾國藩舊疾復發，病勢沉重，請增派大員速來天津。西太后即諭號稱洋務能員的江蘇巡撫丁日昌來津會辦。又因丁日昌坐海輪由蘇州北上，需要十日之後方可到達，遂又派工部尚書毛昶熙先行赴津。不久，崇厚奉命出使法國，毛昶熙便署理三口通商大臣，留在天津。這時丁日昌也到了。

丁日昌在途中便給朝廷上摺，奏稱：「自古以來，局外之議論不諒局中之難艱，然一唱百和，亦足以熒視聽而撓大計，卒之事勢決裂，國家受無窮之累，而局外不與其禍，反得力持清議之名。臣每讀書至此，不禁痛哭流涕。」他一到天津，便大張旗鼓地重建教堂，修繕育嬰堂，嚴刑審訊在押人員，好言撫慰洋人，全然不顧清議輿輪，大刀闊斧地推行自己的意圖。天津士民人人罵他「丁鬼子」、「丁小人」。又四處張貼無頭告示，揭發他在蘇撫任上貪污受賄的不法情事。丁日昌全不在乎，一笑置之。他對身邊的人說：「做官的誰不被人罵？官越大，罵的人越多。宰相肚裏能撐船，他罵他的，我行我的。」他又爲曾國藩請來兩個洋醫生，給他治眩暈，治目疾，勸慰他安心養病，天塌下來都不要管，一切事都由他頂著，殺頭充軍他也不怕。

曾國藩本因丁日昌爲官不廉而對他印象不佳，這一下子，反倒爲他的力排衆議敢作敢爲的氣概所懾服，自己也不知不覺地膽氣壯了起來。他不再自怨自艾，過分自我譴責了。書信言談之間，也常說：「寧得罪於清議，不敢貽禍於君父」一類的話。心胸一寬，身體也好多了。這時他才明白李鴻章賞識丁日昌，明知其操守不嚴也要重用的緣故。曾國藩覺得李鴻章、丁日昌的身上有著另外一些特點，而這些特點又正是他自己所不具備的。

正當轟動海內外的天津教案就要接近尾聲的時候，江寧城又爆出一樁離奇大案——兩江總督馬新貽在光天化日之下被人刺死！消息傳出，朝野震驚，慈禧太后速命曾國藩重任江督，並負責查辦這樁奇案；同時，將李鴻章由湖廣總督任上調任直隸總督。

第五章　馬案疑雲

一　慈禧太后對馬案的態度微妙

曾國藩接到這道上諭，心中十分不安。隨同上諭而來的還有一個大包封，裏面包著近日京報。京報登載了署兩江總督江寧將軍魁玉奏報案件的簡單情況：馬新貽檢閱武生月課後回署，在箭道上遇一男子，被此人用短刀刺死。刺客當場抓獲，名叫張文祥，河南人，該犯供詞支離游移。讀罷京報，曾國藩陷于沉思。

刺殺總督，大清朝立國以來，這還是破天荒的第一次，而被刺的馬新貽，又是近世官場上一個精明强幹的角色。馬新貽曾是曾國藩的屬員，他對此人有所了解。

馬新貽字穀山，山東曹州府荷澤縣人，道光二十七年進士，與李鴻章、郭嵩燾同年，他未入翰苑，以知縣分發安徽，任建平縣令。從咸豐三年起開始帶兵，先是與太平軍，後又與捻軍轉戰在安徽戰場，因軍功不斷遷升。同治二年授按察使，旋遷布政使。這段時期，曾國藩坐鎮安慶，與馬新貽多有接觸，他對這個官運亨通的僚屬的評語是：精明，勤快，城府深。同治三年，布政使尚未做滿一年的馬新貽便接替開缺回籍的曾國荃，當起浙江巡撫來了。遷升之快，令人眼紅，連曾國藩也暗覺驚訝。他不明白，此人究竟有什麼背景，以致於聖眷如此隆盛，那時，曾國藩已遷到江寧。這天，前去杭州赴任的馬新貽來到總督衙門拜謁。

本就長得英俊勻稱的馬新貽，高就途中，益發顯得神采奕奕，與曾國藩縱情暢談，神態甚是軒朗。曾國藩微笑著說：「閣下在安徽任職多年，此去又將巡撫浙江，聽說過桐城一家三人當浙撫的佳話嗎？」

「這倒沒聽說過。」馬新貽欣悅地說，「請中堂見示。」

「桐城方姓，是當地有名的大族。」曾國藩撫著長鬚，興致盎然地說，「乾隆時，方恪敏公觀承由直隸藩司升任浙撫，他在撫署二門上題了一聯：『湖上劇清吟，吏亦稱仙，始信昔人才大；海邊銷霸氣，民還喻水，願看此日潮平。』二十年後，其侄方受疇亦由直隸藩司升浙撫。二十八年後，其子方維甸以閩浙總督暫護浙撫篆。方維甸想起三十年間，父、兄和他三持使節，眞是他們方家的殊遇，於是在父親當年題聯的楹柱旁邊的牆上書寫一聯：『兩浙再停驂，有守無偏，敬奉丹豪遵寶訓；一門三秉節，新猷舊政，勉期素志紹家聲。』又在聯後寫了一段長跋，記敍了這樁家門幸事。」

「眞是浙江巡撫史上的一段佳話。」馬新貽擊掌讚嘆。「謝謝中堂在我撫浙前夕講了一段這麼有趣的故事。」

「今閣下亦以藩司升任浙撫，但願馬府亦和方家一樣，後世再出浙撫。」曾國藩笑道。

「那就要托中堂的洪福了。」馬新貽興奮異常地說。

談完這段趣事後，馬新貽謙虛地向曾國藩請教治民之方，曾國藩也以一番誠意談了他準備在兩江實行減免賦稅，以紓民困的計劃。二人談得很是投機。

馬新貽一到杭州，便學習曾國藩的做法，奏蠲因戰爭而拖欠未交的賦稅，又奏減杭、嘉、湖、金、衢、嚴、處七府浮收錢漕，又請罷漕運諸無名之費，朝廷都一一允准。他又親自帶兵沿海岸肅清海盜。到了同治六年，他便升爲閩浙總督，成了一位年輕的制軍。第二年，曾國藩調直隸，馬新貽便到江寧來接任。

那次，當曾國藩看到年不滿五十，並無殊勛特績，又與湘淮兩系都無淵源的馬新貽時，心中陡起不快。兩江重地，向來非老成宿望、大德大功者不能輕授，讓馬新貽來接替，不是有意降低兩江總督的規格嗎？是不是朝廷中有人存心以此來壓一壓湘淮諸將帥呢？這樣想過以後，他又覺得自己的懷疑沒有根據，心胸太狹窄了，轉而依然對馬新貽以禮相待。這兩年聽說馬新貽在兩江幹得不錯，何以忽遭這等慘變？張文祥一江湖流浪者，他爲何要謀刺總督？此人敢在刀兵林立的校場之中行刺，又居然一刀刺殺成功，其人之膽量、本事必然非比等閑。憑著曾國藩的閱歷，他也想到此人背後，很可能有非同一般的複雜網絡，一旦涉足其間，後果難以預料。

當年不避艱險、銳意進取，以夔、皋、伊尹爲榜樣，欲做一番陶鑄世風、振興天下大業的禮部侍郎，今天位居宰輔、功高震主，卻因捻戰無功、津案受辱，且體力衰弱，疾病纏身，更兼這十多年來經歷了太多的險風惡浪，洞悉了權力顛峯上的傾軋虞詐，反而變得越來越謹言慎行，越來越悲觀失望了。他上疏給太后、皇上，說自己右眼久已無光，左眼亦目力昏眵，江南庶政殷繁，若以病軀承乏，將來貽誤必多。再四籌思，惟有避位讓賢，乞回成命，吁懇聖恩另簡賢能，委以兩江重任。目前津案未就緒，李鴻章到津接篆以後，仍當再留津郡，會同辦理，一俟津事奏結，再行請開大學士之缺，專心調理。

奏摺很快就被批轉回來，上諭命曾國藩即赴江督之任，毋再固辭。詞氣堅決，無再商餘地，曾國藩只得抱病遵命。

「大人，卑職想馬制台這事眞是蹊蹺。」得知曾國藩決定赴兩江履任後，趙烈文提醒道，「天津之案發生後，朝廷一日一旨，急如星火，命從速從嚴辦理。馬制台被刺有一個多月了，京報只有魁玉的簡單奏報，未見就此事所下的諭旨。又刑部尚書鄭敦謹奉命去江寧調查此案，據說才離京幾天。雖然馬制台之案不能與津案相比，但此事亦非同小可。大人還記得十多年前鄧子久中丞被刺之案嗎？那時咸豐爺避難熱河，聞訊後一連下了數道諭旨，對滇撫徐之銘的奏報逐條批駁，而那事最後還是由太后和今皇上手裏結的案。鄧子久乃一剛從藩司升任的巡撫，且在旅途中被殺，馬穀山爲一現任總督，又在校場被刺，事情嚴重得多，朝廷反應並不太强烈。此事令人甚爲疑惑。」

趙烈文所說的鄧子久被刺一案，曾國藩當然知道。咸豐十年，雲南布政使鄧爾恆（字子久）擢貴州巡撫，赴任途中，改換陝西巡撫。雲南巡撫徐之銘爲官不正，害怕鄧爾恆進京陛見時揭其陰私，遂指使副將何有保在曲靖縣將鄧謀殺。事後上奏朝廷，說盜匪行刺，已將凶手正法云云。咸豐帝嚴厲斥責徐之銘，又命雲貴總督劉源灝密速訪查，據實具奏，務期水落石出，不准稍存徇隱消弭之見。後來，劉源灝風聞其中之故，竟然不敢赴滇，遷延半年，中途乞病歸。不久，咸豐帝病死，西太后執政，立即撤了徐之銘職務，命張亮基速赴雲南辦理，又起復潘鐸專辦此案。最後因何有保等人內部起哄，案情大白。鄧爾恆被殺後的幾個月，全國議論紛紛，京報天天登載有關消息，一時官場矚目雲南。相形之下，馬案是冷清多了。難道是朝廷有意冷落？趙烈文的提醒有道理！

「依卑職愚見，大人不妨再上個摺子，請求陛見，聽聽兩宮太后對此事的看法。」

曾國藩採納了趙烈文的建議，上摺請晋京陛見。同時發函給紀澤，要兒子安排家眷先行南下，不必等他。

奉旨允許進京陛見。於是曾國藩待李鴻章來津，交接直隸總督印信後，便啓程入京。

這時正逢曾國藩六十大壽在即，一到京師，軍機處便奉旨賜壽：御書「勛高柱石」匾額一面，御書「福」、「壽」字各一方，梵銅像一尊，紫檀嵌玉如意一柄，蟒袍一件，吉綢十件，線縐十件。前來法源寺送壽禮的小軍機特爲告訴曾國藩：「勛高柱石」匾額乃皇上親筆所書，這四個字也是他自己想出來的，兩宮皇太后爲這四個字，把十六歲的小皇上著實頌揚了一番。皇上親筆書贈大臣，這還是第一次，眞個是曠代鴻恩。過去一句泛泛褒揚天語，能使曾國藩內心激動幾天幾夜，成爲他奮發前行的强大動力，可是而今這些破格的崇隆聖眷，都不會再引起他的激情了。他是一株枯乾的老樹，春風已不能再吹出綠葉了。

由周壽昌發起，湖廣同鄉在湖南會館設盛宴爲之祝壽，雖然他親筆題寫的匾額已照原樣又製了一塊，仍舊高懸在會館大門上，但砸匾的往事畢竟令他感到錐心痛苦，他只應酬性地略坐一坐，便藉口身體不適告辭。當年慶賀同科十進士的豪興，已成爲非常遙遠的回憶了。

壽筵擺過後，兩宮太后、皇上在養心殿接見兩次。皇上照例緘默，東太后也未開口，兩次接見加在一起，西太后總共只問了他十幾句話，他最關心的馬新貽被刺事，僅僅只兩句。一句：「馬新貽這事豈不甚奇？」他摸不透這話的意思，只得含糊答道：「這事很奇。」西太后略停一會，又說出一句：「馬新貽辦事很好。」這句話總算是點到了實質，他趕緊順著她的話回答：「他辦事和平精細。」尖起耳朵欲聽下文時，沒有了，叫他跪安退出。第二天，乾脆連馬新貽的名字都沒提了。西太后只問他何時啓程，要他到江南後練兵。

十月初十日，是西太后的萬壽節，曾國藩隨班朝賀。第二天，正是他晋六十歲的生日，爲表示公而忘私，這天一早，他便離京南下。

途中，曾國藩反覆地咀嚼西太后的兩句話，細細地揣模朝廷對馬案的態度，慢慢地有了些較明確的認識。西太后對此事並不太熱心，印證了趙烈文的分析。朝廷對馬新貽的看法尚好，這是一方面；另一方面，又沒有要將此案追查個水落石出的意思。對於這樣一樁大案奇案，朝廷的態度顯得頗爲難以理解。

一路上，他把這些想法與趙烈文、薛福成、吳汝綸等人商討，他們也都覺得奇怪。這些離奇的跡象倒刺激了趙、薛、吳這班熱血幕僚的好奇心。他們極力慫恿曾國藩把這事查個水落石出，並猜測弄清之後必有許多意外的收穫。曾國藩淡淡地笑了一笑。他不指望什麼意外之獲，但既然已受命重回江督任上，查明此事乃職份所在。他於是寫了一封密信，派急足送給正在江寧附近整頓長江水師的兵部侍郎彭玉麟，要他先行秘密查訪。

兩江總督衙門正在重建之中，尚未完工，馬新貽當總督時，衙門設在江寧府署。曾國藩不願與馬新貽冤魂作伴，而先前住的原太平軍英王府已作他用，於是暫借鹽道衙門辦事。一連幾天，江寧城裏上自將軍魁玉，下至過去的平民舊識，川流不息的前來拜謁。除魁玉、藩司梅啓照以及鄭敦謹未到之前代爲審案的漕運總督張之萬外，曾國藩一律謝絕。忙過這些應酬後，他又親到江寧府去吊唁馬新貽，送一副輓聯：范希文先天下而憂，曾無半時逸豫；來君叔爲何人所賊，足令百世悲哀。

這天傍晚，彭玉麟悄悄進城來訪。

「滌丈，你見老多了！」僅僅兩年不見，曾國藩便衰老得如同古稀老人，大出彭玉麟的意外。

「雪琴，你兩鬢也增了些白髮。」彭玉麟比曾國藩小五歲，這幾年因國秀病故，世事多艱，心情不暢，身體也大不如昔了。

「都老了！上月厚庵來江寧，他還不到五十，便彎背了。還有春霆，早幾個月大病一場差點都把命丟了。」

「春霆害的什麼病？」曾國藩的腦子裏很快閃過二十年前長沙城裏，鮑超被鎖拿，當街向他求救的情景，想不到那樣一個雷打不倒的漢子也垮下來了。

「還不是過去的那些刀傷箭傷發作！」

曾國藩搖頭嘆息。

「還有次青，前幾天一個平江勇哨官來水師看望過去的弟兄們，說次青在關門著書，絕口不談過去的事，好像有滿腹牢騷。」

「早年在長沙、衡州投靠我的朋友，我自信都沒虧待他們，一個個也都還說得過去。授文職的，大都在道員以上，授武職的起碼也是個游擊、參將，不願做官的回到家裡，也都是富翁財主。唯獨次青至今向隅，我於他有虧欠。過些日子，我要專門爲他上個摺子，請朝廷起復。」

曾國藩這種出自內心的沉重情緒，使彭玉麟深受感動，他覺得氣氛太灰暗了點，遂將語調一轉，說：「有一個人倒是越活越灑脫了。」

「哪一個？」曾國藩從對李元度的歉疚中走出來，生發了幾分興趣。

「郭筠仙。我聽厚庵說，剛基去世，他悲傷過一段時期後便很快釋懷了，這兩年讀了很多洋人的書報，常說洋人超過我們的地方很多，不只是船炮器械，他們的法律國制都值得我們效法。世道變了，禮失而求諸野。他很想出洋去看看，總未遇到機會。」

郭嵩燾的兒子郭剛基是曾國藩的四女婿，聰慧好學，只是天不假年，二十歲便病逝，留下嬌妻幼子，害得父親、岳父傷心不已。

「筠仙的這個心思十年前便有了，我總覺得他今後會在這方面有一番事業出來。是該多有一些大臣到外面去看看，現在夜郎侯太多了，總以爲自己了不起。」曾國藩想起了幾個月前，以醇王爲首的清議派對處理天津教案的掣肘，至今仍感委屈。「我曾經答應過筠仙，向皇上保奏他出洋考察，這兩年內只要我沒死，就一定踐諾。」

自從辦津案以來，曾國藩常常想到死，他有一種預感，而這種預感又使他多次夢見死去的祖父和母親，他於是更相信死期不遠了，心中常默念著哪件事該了而未了，應如何了結。每當這時，他的一顆心，便會如同脫離軀體似地飛回了荷葉塘。不知爲什麼，荷葉塘那塊貧瘠僻冷的土地，那條小小的淺淺的涓水河，那座荒蕪的高嵋山，還有長年累月生活在那裏的父老鄉親，總是勾起他綿綿不絕的思念。當年那個寒素的耕讀子，是怎樣急切地盼望走出去，幹一番驚天動地的事業啊！今天，這個勛高柱石的大學士，卻又魂牽夢繞般地想回到它寧靜的懷抱。這究竟是什麼原因呢？曾國藩爲此而迷惘，而困惑，而苦澀。此中答案的確難以尋求。

相見的氣氛居然這般令人傷感，這是彭玉麟進城之前所沒有想到的。渣江的退省庵早已建好，杭州的退省庵也正在籌建中，彭玉麟向來對名望事業看得很淡薄，內心的痛苦也就不如曾國藩的深重，談過幾個老朋友的近況後，他轉入了正題：「滌丈，馬穀山這事，好使人驚詫！」

「是這樣的。」曾國藩點點頭，說，「雪琴，你把馬穀山被刺那天的詳情說說吧！」

「好。」彭玉麟端起茶杯，輕輕地呷了一口，似有所思地說，「這眞是一件怪事——」

二　張文祥校場刺馬

江寧城內駐有綠營兵二千多人，棚長以上的大小頭目有二百餘人。這些頭目，每月由記名總兵署督標中軍副將喻吉三考核一次，稱爲月課。月課的內容主要爲弓、刀、石、馬四大項，成績分優、甲、乙、丙四等，是武職遷升黜降的一個重要依據，向爲軍營所重視。七月初，喻吉三便下達命令，二十五日在校場大考，屆時總督馬新貽親自檢閱。應考者早早地作準備，人人都想在總督面前博得個好印象。不巧，二十五日那天下起雨來，大課便推遲到第二天。

二十六日清早，天還未大亮，江寧校場就熱鬧起來。大大小小的頭目跨著駿馬，穿好緊身戰甲，一進校場，便各自活動起來。校場規矩很嚴，就連中上級武官所帶的隨身僕從，都不得進場，只能在柵欄外觀看。

卯正，兩江總督馬新貽在喻吉三等人簇擁下來到校場。他身穿著一品錦鷄蟒袍，頭戴起花紅珊瑚頂帽，腳踏雪底烏緞朝靴，神色莊嚴地走上檢閱台。一聲號炮響後，考核開始。喻吉三宣布，馬制台特爲準備了十二朵大紅綢花，每個項目的前三名，都可以得到制台大人親授的紅花。應考者無不踴躍。

先考弓術。弓以力爲單位，一力十斤。從八力起開弓，連續開滿三次者爲合格。八力開後再加至十力，合格後再加至十二力。十二力合格者爲甲等，超過十五力者爲優秀。開弓完畢，再考平地射。每人發六支箭，在三十步遠外對準靶子射，六箭皆中靶心者爲優。接下來考刀術。刀有八十斤、一百斤、一百二十斤、一百三十斤之分，能將一百三十斤重的大刀舞得嫻熟者爲優等。石分二百斤、二百五十斤、二百八十斤、三百斤四等，將石拔地一尺，再上膝，再上胸，將三百斤的石頭舉過胸脯者爲優。

武職人員的考試遠比文職人員咬筆桿做文章有趣。大家以高昂的興致觀看，並以喊聲、掌聲爲應考者吶喊鼓勁助威。

最精彩的是馬術。校場馬術的考核爲馬上射靶。這時已到午初時分，校場四周早已是人山人海，熱氣騰騰。盡管衛兵一再阻擋，圍觀的百姓還是拼命地向柵欄靠近，柵欄旁邊的幾株大樹上都爬滿了人，好幾株枝幹被壓斷了，從樹上掉下並跌斷手腳的事時有發生。

校場的一頭有三個離地四尺高的土墩，土墩上插一根六尺長的竹杆，竹杆上掛一塊寬三尺、長四尺，用布做成的牌牌，叫做布侯。布侯上畫著三個圓圈，離布侯三十丈遠處有一道白石灰線。人騎在馬上，打馬在校場上飛跑三圈後，再對著布侯射箭。一共射四箭，四箭全中布侯內圈者爲優秀。柵欄外，成千上萬名觀衆的眼睛跟著校場上的跑馬轉，隨著一箭箭射出，報以喝彩和惋惜聲。場內的應考者和素不相識的場外圍觀者，幾乎達到了息息相通的地步。最後，一百多名武官全部跑馬射箭完畢，居然無一人四箭全中布侯內圈的，在一片遺憾聲中，也根據高下定出了前三名。

到了未正時刻，四大項目中十二名優勝者神氣十足地走上檢閱台，馬新貽給他們一一戴上大紅綢花，又說了幾句勉勵話。恰在這時，有一處柵欄被擁擠不堪的百姓衝垮了十多丈寬的缺口，兩三百名膽大者從缺口中潮水般湧進了校場，衛兵們來不及攔阻，擠進來的人都朝箭道跑去。因爲箭道的那一端是總督衙門的後門，馬新貽將要從這裏回署。馬新貽平時外出，總是坐在遮蓋嚴密、前呼後擁的八台大轎裏，百姓哪能見到！今日能有這樣的好機會，大家都想一睹制台大人的威儀。

「大人，箭道兩邊擠滿了百姓，讓衛兵驅散後您再下去吧。」見馬新貽正要走下檢閱台，喻吉三彎腰勸阻。

「不必了，百姓們想見見我，就讓他們見見又有何妨！」志得意滿的馬新貽也想借此機會，給江寧百姓一個好形象。他邊說邊整整衣冠，揚起頭走下檢閱台。

柵欄外的百姓見衛兵並不驅趕闖入者，便紛紛從缺口處擠了進來。一時間，箭道兩旁聚集著近千人。馬新貽在巡捕及貼身衛士的保護下斂容正色，大搖大擺地穿過校場，走進箭道。頭上的紅頂，頸上的朝珠，身上的彩色繡線，在陽光照耀下閃爍著五色光毫，照得百姓們眼花迷亂，艷羨驚嘆：

「好神氣的馬大人！」

「比以前的曾大人精神多了！」

「當然咯，還不到五十歲，又沒有吃過曾大人那麼多苦，當然精神。」

「平常人哪有這福氣，做督撫的都是天上的星宿下凡。」

馬新貽邊走邊聽到這些讚嘆之辭，心中洋洋自得，腳步邁得更加威武。這時，一個年輕的武弁從箭道邊人羣中衝出來，高喊一聲：「表舅！」然後跪下。

馬新貽一聽，腳步停下來。看時，原來是他堂姐的兒子王成鎮。去年，馬新貽將他從山東原籍召來，安排在督標中軍當個外委把總。這王成鎮不成器，最好賭博，有點錢便去賭場賭了，直到輸盡爲止。早向，王成鎮輸得身無分文，以母親病重，回家探望無川資爲由，向馬新貽要了十兩銀子。他拿著這筆銀子，沒有半個月又輸光了，到馬新貽那裏扯謊，說被人偷去了。馬新貽見他哭哭啼啼的，便又給了他十兩。誰知不久又輸了，還倒欠賭房五兩銀子。

馬新貽得知後氣得大罵，吩咐僕人，再不准他進督署。王成鎮無法，便藉這個機會向表舅面求。

馬新貽見是他，喝道：「你這個混帳東西，還有臉來見我！」說罷，扭轉臉繼續往前走。

王成鎮跪著高喊：「表舅，表舅！」馬新貽不理，只顧朝前走。

王成鎮見狀，忙站起，跑到馬新貽前面，又是一跪，哭道：「表舅，求你再寬容外甥一次。外甥委實欠了別人的銀子，無法歸還，只得如此！」

「你給我滾開！」馬新貽抬起右腳，猛地向王成鎮踢去。

「大人，寃枉啦，寃枉！」馬新貽的腳尚未收回，忽地從人羣中又衝出一個高大壯實的漢子來。他飛奔向前，走到馬新貽的面前，彎腰打拱。

「你是誰？」馬新貽停步喝問。

「大人！」那漢子邊說邊向前走一步。猛然間，他從腰中抽出一把發亮的腰刀來，用盡全力，向馬新貽身上扎去。馬新貽被這突如其來的行動嚇懵了，正在慌亂之際，那腰刀已插進了他的右肋之下。馬新貽慘叫一聲，隨即倒在箭道上，血如泉水般地噴湧出來。箭道兩旁的百姓高喊：「總督被殺了！」「抓刺客！」

走在離馬新貽身後丈多遠的喻吉三聞訊趕上前來，馬新貽的貼身侍衛也都紛紛趕上，只見那刺客並不逃跑，站在那裏，對著青天狂笑道：「你們來抓吧！老子大事已成，高興得很，我跟你們走。」

衛兵擁上來，拿一根繩子將刺客綁住。喻吉三高喊：「先前跪的那人是他的同夥，不要放了他！」

衛兵們又把王成鎮抓住。王成鎮嚇得臉色灰白，話都說不出一句來。刺客又笑了起來，說

：「你們放了他，殺人的只有我一個，我一人做事一人當，並無同伙！」

喻吉三哪裏聽他的，吩咐將兩人一起押進總督衙門。倒在血泊中的馬新貽已人事不省，被衆人抬進了臥室，一邊飛馬去請醫生。

校場內外上萬名圍觀的百姓，眼見得出了這樣一件百年難遇的稀奇事，情緒一下子高漲起來，驚訝之餘，全都奔向總督衙門，懷著巨大的好奇心，打聽事情的究竟。

總督衙門一時大亂，也無人出來維持秩序，大堂外看熱鬧的人密密匝匝地圍了不知多少圈。過一會，江寧藩司梅啓照帶著江寧知府及江寧、上元兩縣縣令等人升堂開審。刺客被五花大綁地押了上來。

梅啓照敲打著驚堂木，喝問：「大膽狂徒，你叫什麼名字？何處人氏？幹什麼的？從實招來！」

那刺客面不改色，昂然站立在大堂之中，從容答道：「我叫張文祥，河南汝陽縣人，無業。」

「你爲何要謀刺馬制台？」梅啓照又厲聲發問。

「有人叫我幹的。」

「此人是誰？」

「此人是將軍。」

大堂上審訊的官員們面面相覷，無不驚愕失色，他們立即想到江寧將軍魁玉。梅啓照的心怦怦直跳，不知如何審下去，好一陣才問：

「將軍在哪裏，你認識他嗎？」

張文祥坦然回答：「將軍就在我家旁邊，我並不認識他。」

官員們被弄得莫名其妙。

梅啓照問：「你不認識將軍，將軍怎麼叫你幹？」

「我今天清早在將軍面前抽了一簽，上上大吉，故知將軍同意我去幹。」

陪審的官員們有的已大致猜到了，有的還不明白。梅啓照已知將軍決非魁玉，心中有了數，遂又猛拍一下驚堂木，大叫：「大膽狂徒，你老實招來，這將軍到底是誰？」

「它是我家門旁邊石將軍廟裏的將軍。」

這下，所有會審的官員們一齊放下心來。

正在這個時候，魁玉急急忙忙趕來，對梅啓照說：「此事非比一般，恐有意外，現在外面百姓衆多，一字一句都聽得清楚，哄傳出去，不利審查。」

梅啓照依了魁玉的意見，將張文祥押下收審。直天黑下來，總督衙門圍觀的百姓才漸漸散去。到了第二天上午，馬新貽因流血過多死了。當天晚上，總督衙門裏又傳出新聞，馬新貽的姨太太懸樑自盡。過幾天又報王成鎮瘋癲。事情愈加複雜了。

三　江寧市民嘴裏的馬案離奇古怪

「張文祥到石將軍廟求簽一事，魁玉、梅啓照都沒有說起。」曾國藩聽完彭玉麟的敍述後，擰起眉頭說。彭玉麟所敍的校場刺馬的情節，與魁、梅等官員講的大致相同，但他們都沒有說起求簽一事。

「可能因『將軍』二字牽涉到魁玉的緣故。」彭玉麟淡淡一笑。

「幾天後，張之萬從清江浦來到江寧，與魁玉合作辦案，衙門裏便傳出張文祥是漏網捻賊前來報仇的話。不過，」彭玉麟壓低了聲音，「江寧城裏關於這件案子卻傳說紛紜，與衙門裏所說的大不相同。但水師因無人駐紮城裏，所知不詳，滌丈不如叫一些人扮作尋常百姓，下到茶樓酒肆、街頭巷尾去聽聽，可以聽到不少傳聞。」

曾國藩輕輕地點點頭，心想：江寧城裏會有些什麼傳聞呢？夜深了，彭玉麟起身告辭。曾國藩親送到門外，關心地問：「永釗多大了，在渣江，還是跟隨在你的身邊？」

「過年就十七歲了，跟著叔父嬸母在渣江。」

「定親了嗎？」

「還沒有。」

「雪琴，續個弦吧，身邊得有人照顧呀！」曾國藩親切地勸道。

「今生已沒有這個念頭了，一等長江水師規模整齊後，我便堅決請求開缺，先回渣江守三年母喪後，再到杭州退省庵住兩年，以後便渣江、杭州兩個退省庵一處住半年，以此了結殘生。」

彭玉麟苦笑著，曾國藩無言以對。

「去年我在九江偶遇廣敷先生，他說我前生是南岳老僧。難怪我喜歡獨居，喜歡庵寺。」彭玉麟伸開雙手，做出一個無可奈何的樣子。

「你見到廣敷了，他還好嗎？」曾國藩立時想起了溫甫，又有兩三年不見了，不知他近況如何。

「廣敷先生眞是個得道眞人，跟十年前一個樣。」

曾國藩眞想把溫甫的事告訴彭玉麟，話到嘴邊又咽下去了。

「雪琴，永釗正處在一生學問的關鍵時刻，渣江雖有叔父照料，畢竟缺乏良師。你要他到江寧來，和紀鴻一起讀書，我爲他們請一個好先生。」

「好。」彭玉麟感激地點點頭。

幾天後，奉命在市井搜集關於馬案傳聞的趙烈文、薛福成、吳汝綸、黎庶昌等人，向曾國藩稟報了這個案件的各種離奇之說。

趙烈文介紹了流傳最廣的一種——

咸豐五年，馬新貽署理合肥知縣，因縣城失守而革職。時福濟任安徽巡撫，委託馬在廬州辦團練。一日，馬新貽的團練與捻軍作戰，大敗，馬新貽也被活捉。這支捻軍的頭目即張文祥。張文祥有兩個結拜兄弟：二弟曹二虎，三弟石錦標。曹二虎精於相術。他看到馬新貽後，悄悄對張文祥說：「大哥，這個姓馬的面相骨相均極好，將來有一品大官的福份，捻子內部四分五裂，不是成氣候的樣子，我們何不借姓馬的改換門庭。」

張文祥說：「姓馬的被我們所捉，恨死了我們，如何可以借他的力？」

「大哥，先優禮相待，看他反應如何。」石錦標也贊同曹二虎的意見。

張文祥鬆了馬新貽的綁，設酒席款待他。馬爲人聰明，看出了其中的變化，勸張文祥歸順朝廷。張文祥說：「我們兄弟早有歸順之意，只是無人引荐。」

「這事包在我身上！」馬新貽大喜。「福中丞與我私交極好，你們又有武功，只要肯投誠，定會得到重用。今後升官發財，我們共享富貴。」

「我們跟著你投奔朝廷，你日後會看得起我們嗎？」石錦標穩重，考慮得深遠些。

「石三爺，看你說到哪裏去了！」馬新貽立即接話，「你們都是義士，我姓馬的今後還要仰仗各位殺敵立功，只有敬重愛戴的道理，決不會看不起的！」

「那你要當著我們衆位兄弟的面起個誓！」張文祥正色道。

「行！」馬新貽爽快地答應。他這時一條命都捏在張文祥的手裏，不殺已感恩不盡，何況還要帶著一批投降的捻軍回去，這時叫他做什麼，他會不同意？恰好酒桌下正有一條狗在啃骨頭，馬新貽從張文祥腰間猛地抽出一把短刀，朝著狗身上狠狠一刺，那狗慘叫一聲，狂奔逃去。「我馬新貽今後若虧待兄弟們，你們可以像剛才這樣，把我當一條狗一樣戳死！」

張文祥答應了。第二天，這支捻軍隨馬新貽投降。馬新貽在福濟面前將自己如何勸降之事，大大地渲染了一番。福濟稱贊他能幹，並將這支捻軍改編成練勇。因馬新貽字穀山，這個營便取名山字營，張文祥做了營官，曹、石二人做了哨官。馬新貽仗著山字營，屢立戰功，遷升頻繁。到了同治四年，喬松年巡撫安徽，馬新貽已升爲布政使了。那時山字營裁撤，石錦標回家當財主，張文祥、曹二虎仍留在馬新貽身邊，馬果然待他們親如兄弟。

不久，曹二虎將妻子鄭氏接來安慶，馬新貽和他的太太在藩司衙門設宴招待。曹二虎帶著打扮得漂漂亮亮的妻子欣然領宴。誰知馬一見鄭氏生得美貌，頓起歹心。這馬新貽原是個漁色之徒，家有一妻兩妾仍不滿足。從此，他便常常變些花樣，將鄭氏騙進藩署。鄭氏見馬新貽高官厚祿，又長得一表人才，於是也情願。以後馬便常常支使曹二虎到外地辦事，曹一走，鄭氏便住進藩署。馬的妻妾都怕他，由他胡來。張文祥把這一切都看在眼裏，對馬新貽姦佔朋友之妻的醜行大爲不滿，便悄悄地告訴二虎。二虎一聽，怒不可遏，恨不得一刀殺了鄭氏。

張文祥勸道：「罪魁禍首是馬新貽，你不殺他，反而先殺自己的妻子，於理不當。且捉姦不見雙，殺妻無據，到頭來你還得抵命。」

曹二虎低頭想了半天，說：「若不捉雙，殺馬亦無理由；若捉姦，藩署警戒森嚴，我如何捉得到！」

張文祥說：「既然如此，不如乾脆把鄭氏送給馬新貽，你再娶一個算了。」

夜裏，曹二虎對鄭氏說，現在市井有傳聞，說你與馬藩台有染。鄭氏聽了又哭又鬧，矢口否認。二虎於是對張文祥的話起了懷疑。過幾天，馬新貽對曹二虎說：「二虎，我與你情同兄弟，你怎能聽信外人的挑唆？你外出時，鄭氏冷清，間或進署與娘兒們敍敍話，有什麼不可以的！快莫胡亂懷疑自己的妻子。」

曹二虎想想也有道理。張文祥得知後，心知二虎大禍不遠了。

半個月後，馬打發曹赴壽春鎮總兵徐鵾處領軍火，允諾事成後有重賞。曹欣然答應。張文祥對他說：「徐鵾駐兵壽州，離安慶六七百里，途中恐有意外，我陪你一道去吧！」曹二虎不以為然，但感激張文祥的厚意，二人結伴同去壽州。一路無事，二人順利到達。第二天，二虎前去總兵衙門辦事。剛投文，壽春鎮中軍官手持令箭出來，喝道：「把曹二虎綁起來！」

曹二虎驚問何故。中軍官說：「你賊性不改，暗通捻匪，領軍火實為接濟他們。有人在馬藩台那裏告發了你，我們奉馬藩台之命，即以軍法從事。」

說罷，也不容曹二虎分辯，便把他綁到市曹去殺了。張文祥得訊趕到市曹時，二虎已死。他埋葬了二虎，哭道：「二弟，是大哥害了你，大哥為你報仇！」

從此，張文祥遠離安徽隱居下來。他以精鋼特製兩把腰刀，用毒藥淬之，只要用刀尖劃破一點皮肉，人必死無救。每到夜深人靜之時，張文祥便發奮練習。他以牛皮蒙一個靶子，執刀刺靶。剛開始只能貫穿兩張牛皮，兩年後，一刀刺下去，五張牛皮立即洞穿。張文祥自覺功夫已到家了，便懷揣這兩把腰刀跟蹤馬新貽。馬新貽調浙撫，他也到浙江；調閩督，他又去福建；調江督，他又隨之來到江寧，只是都苦於找不到好機會。這次馬新貽考核武弁月課，喻吉三二十天前就下了通知，給了張文祥以充分的準備時間，終於實現夙願，故他引頸就戮，毫無悔意。

趙烈文轉述的這個傳聞使大家聽得入了迷，暗中讚嘆刺客是個義氣深重的好漢，對馬新貽正人君子表面後的醜惡行徑都很憤慨。曾國藩也暗思，此種事只可見於古代，今天幾乎絕跡。接著，吳汝綸又講述了一個傳聞，更令人不可思議。

馬新貽是回族人，從小信天方教。天方教即伊斯蘭教。明代人稱阿拉伯爲天方，伊斯蘭教創於阿拉伯，故稱之爲天方教。淸代沿襲明代的舊稱。馬父爲荷澤縣回人的頭領，與新疆回民素來關係密切。馬在安徽爲官期間，在與太平軍、捻軍作戰的時候，其軍火餉銀多得新疆回民之助，故而屢立戰功，很快由一縣令而升至布政使。後來馬調任浙撫，在剿滅浙江沿海匪盜的過程中，又得到新疆回部的資助。故馬對新疆回部一直感恩戴德。

馬的身邊有一個衛兵，名叫徐義，也是山東荷澤人，武藝很好，馬很器重他。這徐義原是太平天國侍王李世賢的部下，與一河南人張文祥爲至交。徐義與張文祥在太平軍中日久，洞悉其中之弊，久思投降朝廷。同治二年，徐義、張文祥跟著李世賢守寧波。寧波城破時，二人捲帶一些錢財逃走，到杭州後分了手。徐義後來投靠馬新貽，張文祥輾轉多處後又回到了寧波，並在那裏住了下來。同治四年，張文祥打聽到老友隨馬新貽來到浙江，便專程去杭州拜訪。

徐義熱情款待張文祥，兩人喝得醉薰薰的。當張文祥又要舉杯和徐乾的時候，徐搖搖頭，噴著滿嘴酒氣問：「張哥，你說世上的人心可測不？」

張歪著頭，臉上紫紅紫紅的，手中的杯子仍高高地舉著，眯起眼睛答道：「如何不可測？好比你我兄弟之間，彼此的心思都明明白白的，你想什麼我知道，我要做什麼也告訴你。」

徐又搖搖頭：「張哥，你我之間當然沒得話說，當官的人心就難以猜測，尤其是大官，更是心眼兒比我們兄弟多幾十個。好比馬中丞吧，他的行事，就是我們兄弟不能想像的。」見張文祥醉眼朦朧地望著他，徐義將嘴巴湊過去，對著張的臉說：「張哥，我告訴你一件絕密的怪事，你聽後莫對別人說。」

張文祥胡亂點點頭。

「前天，馬中丞收到新疆回王的一封詔書。詔書上說，回部大兵已定新疆，不日東下，浙江一帶征討事宜，委卿就便料理。馬中丞得書後回報，東南數省，全部交給我馬某人了。」張文祥一聽，把手中的酒杯往桌上狠狠一放，罵道：「這不是叛賊逆臣嗎，我要殺掉他！」

「小聲點！」徐忙用手捂住張的嘴。「你說，這人心可測嗎？馬中丞當了這樣大的官，還要背叛朝廷，投降回部，眞不可想像。」

說罷，二人又接著喝酒。張文祥在杭州住了幾天後，回了寧波，在寧波城裏開起了一家小押店來。

小押店是做什麼的？其實就是小當舖。附近人家有一時銀錢周轉不過來的，拿樣實物來抵押，換些錢去。到還錢時，一千文加一百二百利息，比大當舖高得多。但大當舖不押小物件，貧寒之家便只能求助於小押店。張文祥帶著老婆孩子開個小押店，日子過得很艱難，心裏已經很不痛快了，豈料馬新貽又宣佈取締小押店，簡直不讓他活下去了。張文祥這一氣非同小可，記起徐義說的私通回部、蓄謀造反的話，便起心要殺掉馬新貽，既爲國除害，又爲自己洩憤。就這樣，一等數年，才遇到校場閱課的機會，一刀刺死了仇人。藩司梅啓照審訊，他大模大樣地坐在地上，叫他跪，他不肯，問堂上坐的是何官。衙役告他是藩台。他笑著說：「藩台，小官，不足以審我。我有絕密大事相告，非將軍來不說。」

梅啓照被弄得很尷尬，無法，只得請魁玉。魁玉來後，張文祥說：「請發兵將總督衙門圍起來，命令家屬統統出去，我再對你說。」

魁玉怒了，罵道：「這是個瘋子，不要睬他！」

張文祥大笑：「我是個瘋子，你們不必審了，快殺吧！」

梅啓照把魁玉拉到一邊說：「將軍請勿發怒，即算是瘋子，也聽聽他說些什麼。」

於是，所有無關人員全部退出，僅留下魁玉、梅啓照、張文祥三人。這時張文祥才將爲國除一大回匪之事說出。魁、梅聽後目瞪口呆。過了好一陣子，魁玉才拍著桌子嚷道：「你這是誣蔑！」

「將軍先不要罵我。」張文祥平靜地說，「你親自帶人去搜查馬新貽的臥室，若不得回王僞詔，將我五馬分屍都行。」

魁玉、梅啓照四目相對，唬得不知如何是好，結果到底不敢去搜查馬新貽的臥室。

吳汝論這段傳聞說得繪聲繪色，聽的人驚異不已。曾國藩淺淺一笑：「這眞是海外奇談，馬穀山死後還要背上一個通回謀反的黑鍋，可憐可憫！」說罷問薛福成、黎庶昌，「你們還聽到些別的沒有？」

黎庶昌說：「我聽到的又是一種說法。」他也不慌不忙地說出一段故事來。

刺客張文祥爲河南汝陽人。道光二十九年，張文祥變賣家產買了一批氈帽，到浙江寧波去販賣。在寧波結識了同鄉羅法善，後又娶羅之女爲妻，生有一子二女。子名長福，長女名叫寶珍，次女名秀珍。咸豐年間，張文祥開起小押店來，並雇了一個幫工叫陳養和。咸豐十一年十一月，太平軍將來寧波，張文祥將家裏的衣服、銀兩和幾百洋錢裝箱，交給妻子羅氏，要她帶子女出城避難。張文祥則和陳養和在店看守。

恰好張文祥有一同鄉陳世隆在太平軍中充後營護軍。太平軍攻下寧波時，陳世隆便派幾個兵士保護張文祥的小押店，又在門口插太平天國旗幟一面，貼告示一張，張文祥的店鋪因而無事。不久，陳世隆撤離寧波，將張文祥、陳養和帶在軍中。在打諸暨縣沙家村時，陳世隆戰死，張文祥、陳養和倉皇逃出，投奔侍王李世賢部，後又隨李世賢轉戰各地。同治三年九月，張文祥在漳州抓到一個清廷的把總，名叫時金彪。時金彪也是河南人，張文祥見太平軍大勢已去，便和時金彪一起逃走了。後來時金彪經人荐至馬新貽署中當差，張文祥乘海輪回到寧波。這時其妻羅氏已跟一個名叫吳炳燮的男人同居了，那一箱銀錢也歸吳所有。張文祥報官，縣官將羅氏斷回給張，銀錢則斷給吳。

張文祥心懷不滿，又無錢，轉而求助於昔日的狐朋狗友王老四等人。王老四又介紹張認識龍啓雲。龍啓雲與海盜有聯繫，他給一筆錢與張文祥，張又重開小押店，並代龍銷贓圖利。

同治五年正月，浙江巡撫馬新貽巡邏到了寧波。張文祥欲借巡撫威力壓服吳炳燮，迫他交出銀錢，遂攔輿喊控。馬新貽見是這點芝麻小事，將狀子向轎外一扔，吩咐起轎，任張在後面呼喊，不理不睬。吳炳燮得知後十分得意，四處譏笑張無能，乘此機會，又將羅氏勾引走了。張再向縣衙門告狀。告准後將羅氏追回，逼羅氏自盡。過幾天，龍啓雲、王老四請張文祥喝酒。幾杯酒下肚後，張文祥心中的怨恨發作了，將告狀而巡撫不理睬，遭吳炳燮欺辱，弄得家破人亡的痛苦心情，對龍、王發洩了一番。

「張大哥！」龍啓雲拍著張文祥的肩膀，煽動性地說，「男子漢大丈夫再沒有比妻子被霸占更恥辱的事了，暗中支持吳炳燮的就是那個馬新貽。他擲狀不理，讓你當場出醜，長了吳炳燮的氣焰。」

「馬新貽眞不是個東西！」王老四也乘著酒興罵起來。「前向捕捉龍三哥，雖說沒抓到，但一筆三萬兩銀子的買賣給吹了，還死了幾個兄弟。」

「我眞恨不得殺了那個雜種！」龍啓雲氣憤極了。「只是我功夫差了些，久聞張大哥武功好，又是最講義氣的江湖好漢，你替我們報了仇如何？」

「行，這事就包在我身上！」張文祥刷地撕開衣衫，露出滿是黑毛的胸脯，右手掌在胸口上重重地拍了兩下。「老子反正是山窮水盡的人了，拚上這條命不要，爲我自己，也爲兄弟們出這口怨氣，宰掉姓馬的！」

龍啓雲大喜：「張大哥果然是個義烈好漢，我們也不虧待你，明天我拿三千兩銀子來，你把家安頓好，無牽無掛地去辦事。」

第二天，龍啓雲眞的交來三千兩銀子。張文祥請來羅氏的寡嫂羅王氏代他照料未成年的一子二女，三千兩銀子他自己一兩都不留，全部交給了羅王氏，又向羅王氏作了一個揖，然後離家而去，頗有點「風蕭蕭兮易水寒，壯士一去兮不復還」的味道。

張文祥爲使行刺確有把握，便隱居一個山村里，每天半夜起來，燃香於數步之外，將匕首朝香火擲去，火滅爲度。一年後，香火在十步內百發百中。兩年後，香火在二十步內百發百中。三年後，香火在三十步內百發百中。張文祥自知功夫到家了，便出山找馬新貽。這時馬調任江督，又訪得時金彪在馬的身邊做事，在與時金彪晤談中，得知七月二十五日馬新貽要在校場考試武課，於是便選定在校場下手。出事後第五天，時金彪因喪母告假回老家去了。

黎庶昌說完後，曾國藩輕輕頷首：「純齋說的這個故事有幾分可信。」又問薛福成：「你還聽到什麼好的故事，說出來大家聽聽吧！」

薛福成笑笑說：「現在江寧城裏，百姓頭號感興趣的事便是刺馬——張文祥刺殺馬新貽，連來江寧參加鄉試的秀才們都無心讀書作文了。各種傳說沸沸揚揚，有的有板有眼，有的荒誕不經。前面三位說的，我也斷斷續續聽到過，也還有其他說法的。有的說馬制軍逼死了張文祥的妻子，張文祥蓄意報仇；也有的說馬制軍幼時與盜首四人相交，張文祥為其中之一，馬制軍發跡後，張文祥等人投營自效，馬制軍怕少時事暴露，密謀殺張文祥等四人。張僥倖逃出，另外三人被殺，張為朋友報仇。還有一種說法，說張文祥為捻賊頭目，所部八百人皆能戰，屢敗馬制軍。馬遣人說降，言辭懇切，張信以為眞，與馬歃血盟誓。誰知降後八百部下全被馬所殺，張僥倖逃走，遂與馬制軍結下血海深仇。還有說張是漏網長毛，要為他已覆滅的天國報仇。

「昨天，我去夫子廟閑逛，升州茶樓赫然掛出一塊粉牌，上書：蘇州第一金嗓岳美娥演唱長篇評彈《金陵殺馬》。我一看奇了：案子還正在審，怎麼評彈倒就出來了？我進茶樓一看，所有茶座全部坐得滿滿的，生意比以前興隆十倍還不止。茶博士帶著我轉了多時，才找到一個位子。一個十八九歲的姑娘在邊彈邊唱，我足足聽了一個時辰，都給它迷住了。彈詞裏說，張文祥的妻子被馬制軍姦污逼死，他立誓報仇雪恨，從杭州追到福州，又從福州追到江寧，前六次都未成功，這次是第七次了，老天保佑，有志竟成。那寫彈詞的完全站在張文祥一邊說話，把馬制軍說得一無是處，百姓也借機發洩對官府的怨憤，都說張文祥是條好漢。還有人當場出面爲張文祥募捐，要爲他修墓刻石碑，居然不少人捐了錢。眞正是怪事！」

「大人，叔耘說得好，這是件怪事。」趙烈文經過一番深思後說，「依卑職看來，怪在兩點：一是張刺馬這件事的本身，二是爲何傳聞這樣多，這樣離奇。這到底說明了什麼呢？」

趙烈文的提問引起衆人的共鳴，曾國藩也在深思：不久前的津案和眼前的馬案，是兩個截然不同的案子。一個捲入的人達數萬名之多，凶手不易抓到，看似很複雜，但案件的起因、性質、是非，卻是明朗清楚的，它的棘手，在於涉及到洋人。一個捲入的人只有兩個，凶手當場捕獲，表面很簡單，但它背後的原委卻深不可測，今後不知在什麼地方一步失足，便會跌落在萬丈深淵中，不僅粉身碎骨，甚至也可能會像馬新貽這樣，背上許多洗不掉、辯不清的穢名惡聲。正思忖間，親兵進來稟報：「張大人來訪。」

「請！」曾國藩邊說邊起身向門外走去。

四 曾國藩審張文祥，用的是另一種方法

前來拜訪的張大人乃漕運總督張之萬。他是馬新貽的同年、道光丁未科的狀元公，是個天下讀書郎人人羨慕、個個稱道的人物。他的弟弟張之洞十五歲中解元、二十六歲殿試又得了個探花。這下可把朝野轟動了。一時間，南皮張氏兄弟成了新聞人物，官場士林莫不津津樂道。張之萬本坐鎮在清江浦督辦漕運，馬新貽被刺後才來到江寧。

張之萬書讀得好，學問優長，但膽子小，辦事不夠幹練。其弟張之洞有其長而無其短，故後來所成就的事業也比乃兄大。接奉上諭後，張之萬深知這不是件好差事，論他本人的意願是決不想插手，但聖命難違，只得硬著頭皮上任，在路上便作好了打算：暫時應付一下，等鄭敦謹和曾國藩來後，由他們去處理。一應付，他就發覺這個案子果然難辦。那一天，他和魁玉提審張文祥。問張基本情況時，他答得很爽快。當問到有沒有人指使的時候，他笑了一下，說：「養兵千日，用在一時，要殺要剮由你們的便，你們也不必再問了，我也不會回答。」再問，便緊閉嘴唇不作聲，任動刑拷打亦不說。這明擺著是有人在背後指使，但打死不說，也拿他無法。張之萬無計可施，魁玉也想不出好辦法。後聽說曾國藩要來接任江督，便都懶得再審了，且

聽大學士的主意。

「張大人，刺客的確說過養兵千日，用在一時的話？」曾國藩認爲這是一句關鍵性的話。

「老中堂，張文祥的的確確這樣說過。」張之萬聰慧的眉眼中流露出疑慮的神色。

「外間傳說，在審訊張犯時，他說過，馬穀山與新疆回部有聯繫，你聽說過嗎？」曾國藩想起吳汝綸說的傳聞。

「我沒聽說過。」張之萬斷然否定。「現在江寧城裏謠諑紛紛，回民多姓馬，有人就附會馬穀山是回人，信天方敎，進而說他通回部。這純是瞎扯，是對馬穀山的誣蔑。」

「到底是同年，在大是大非上對馬新貽的維護毫不含糊。」曾國藩想。他以懇切的態度對張之萬說，「張大人，這件案子你已審過多次了，如何定案，你拿個主意吧！」

「不，不，主意要由老中堂拿！」張之萬急了，他以爲曾國藩是要將他推出來。「我和魁將軍雖然審過張文祥，但他要害之處始終沒有透露過一句，不能定案。」

「我看這張文祥多半是個無賴，馬穀山要整頓社會秩序，無意間在哪裏傷害了他，他便起了殺人之心。張大人，你說是不是？」曾國藩望著張之萬。他沒有和張之萬共過事，對這個漕運總督充滿了欽佩之情。年輕時曾國藩也曾日思夜想中個狀元，一舉轟動海內，誰知殿試列入三甲，雖說後來得力於勞崇光進了翰林院，但終生對同進士出身都感到遺憾，因而對於狀元，他從心裏尊敬。他的這種心理，與左宗棠截然相反。官場上廣爲流傳一個故事。

左宗棠初爲閩浙總督，巡視海疆，來到溫州府。溫州城內大小官員一個個具名刺等候接見。按通例，當由大到小。左宗棠先拿來溫州處台道道員名刺一看，見上面寫著「道光乙巳科進士前翰林院侍讀」字樣，眉頭一皺，將名刺擲於一邊。再拿起溫州府知府名刺，見上面寫著「咸豐壬子科進士」字樣，他不作聲，又把名刺放到一邊。第三次拿起的是永嘉縣令的名刺，又是一個進士，他連名字都不看，又換了一張，這下臉上露出了笑容。這張名刺是永嘉縣丞黃惟清的，他的履歷上寫著舉人出身。左宗棠放著道員、知府、縣令不見，卻先召見縣丞黃惟清。黃惟清進來時，一向傲慢的左宗棠顯得很客氣。問他官員中是進士出身的好，還是舉人出身的好。黃惟清答，舉人比進士好。左問何故。黃說：「大凡人在作秀才時，整個心思都在經營八股試帖上，此外無暇顧及。待到中進士，則即刻授官，成天忙於應酬簿書之中，亦無心鑽研學問。最好是鄉榜告捷，胸襟始展，志氣甫宏，經世文章、政治沿革都有充分的時間潛心研究，到時出仕及膺任顯要，可從容施展胸中抱負，極少尸位素餐之徒。」

左宗棠聽後拍案叫絕，連聲稱讚：「好，這眞是一篇好議論，我今天有幸聽到，足下在晚近中眞不愧爲佼佼者。」送黃惟淸出去後，又對左右說：「此間好官，僅一黃縣丞。可惜，這樣有見識人竟屈抑下僚。」

這番話傳出去後，令兩浙官場啞然失笑。

這時張之萬聽曾國藩這麼一說，正與他的思想相合。他爲人較厚道，篤信「己所不欲，勿施於人」的聖教，這樁案子，他自己不想多插手，也就不慫恿別人深究。「老中堂分析得有道理。馬穀山爲官多年，豈無仇人？有時結怨於人，自己還不知道。世間羣氓中心腸歹毒者大有人在，他拼卻自己一死，什麼事幹不出來？我想老中堂審幾次後若實在不能突破，以後就這樣上報朝廷，也說得過去。」

「眞是個膽小的篤誠君子。」當張之萬起身告辭的時候，曾國藩目送他的背影，無聲地說。曾國藩不是張之萬，哪怕今後再以含渾的語言上奏朝廷，而他自己對此事的了解，卻要做到一淸如水。估計鄭敦謹就抵達江寧了，他決定在鄭到來之前單獨提審張文祥，把事情弄淸楚。對於一個早已將生死置於度外的刺客，嚴刑拷打算得了什麼！曾國藩暗自譏笑魁玉、張之萬的缺乏見識，他要以另外一種方式來處理。

第二天，張文祥由江寧府監獄轉移到鹽巡道衙門，鹽巡道衙門無監獄，監時以一間小空房代替。下午，曾國藩叫身邊的萬巡捕帶路，他要親自去見見張文祥。萬巡捕說：「一個死囚，何勞大人親去牢房見他，叫個人押來就是了。」

「你不懂，此人非比一般死囚。」

萬巡捕在前面帶路，穿過兩棟正房後，現出一個豪華精緻的後花園。花園中有一座太湖石堆成的高大假山，山邊築有樓閣亭台，環繞著清苔流泉，四周是古柏蒼松，花圃草坪。時已深秋，野外早已草木凋零，此處卻姹紫嫣紅，春色仍濃。那一條九曲蜿蜒的小河中，畫舫輕浮，游魚戲水。曾國藩路過此地，竟如同到了蓬萊仙境。他感到奇怪，走近花園細細一看，原來那紅花綠草全是彩絹所紮。他不禁嘆道：「人家都說鹽官是小天子，此話果真不假。這不是一個小御花園嗎？自己住進來半個月了，也沒有發現，慚愧！」花園的左角有一排低矮的房子，張文祥就關在這裏。

「張文祥，你轉過身來！」萬巡捕凶惡地對著面壁呆坐的刺客吼道。

張文祥轉過身子，抬眼看了看曾國藩，眼中微露出一絲驚訝的神色，很快又低下了頭。

曾國藩看清楚了。這是一個四十歲左右的漢子，寬臉大眼，濃眉密鬚，兩唇緊閉，面皮削瘦硬繃，有一股慓悍頑梗之氣充溢於五官之間。手和腳都套上沉重的鐵鐐。似乎是身上癢，他抬起雙手來，兩肩緊縮了幾下，立時發出一陣鐵鐐相碰的撞擊聲來。牢房陰暗潮濕，一角雜亂地舖了一層乾稻草，上面蜷縮著一條薄薄的黑土布被。

「萬巡捕！」曾國藩喊道。

「卑職在。大人有何吩咐？」萬巡捕走過來，彎腰聆聽。

「你給張文祥換一間好房子，擺一張床，舖上棉絮。叫一個剃頭匠來，給他剃頭刮鬚，讓他洗個澡，拿兩身乾淨衣服給他換，再招呼廚房，飯要給他吃飽。」

萬巡捕驚奇地望著總督。

「還有一件事。」曾國藩不理睬萬巡捕的神態。「從明天起，去掉他的鐐銬。」

「大人？」萬巡捕的眼睛睜得更大了。

此刻，張文祥也瞪起雙眼看著曾國藩，滿腹驚疑。

「你去辦吧！」說罷走了。

三天後，萬巡捕遵命將張文祥帶到後花園。曾國藩端坐在虎皮太師椅上，兩邊站著兩個腰插洋短槍的戈什哈。比起三天前來，刺客的容貌大為改觀，精神旺盛，氣慨粗豪。他站在曾國藩面前，頭微微下偏，不作聲。

「張文祥。」曾國藩以慣常緩慢穩重的語調問，「本督聽說你可以一刀戳穿五張牛皮，有這事嗎？」

張文祥點點頭。

「把牛皮靶抬過來。」

兩個戈什哈從太湖石假山後抬出一個靶子來，那上面蒙著五張黑黃色的水牛皮。

「把刀給他。」曾國藩命令萬巡捕。

萬巡捕從靴子裏抽出一把短刀來，遞給張文祥。張文祥接過刀冷笑道：「把刀給我，你不怕我刺死你？」

「寃有頭，債有主，想必你不會無緣無故地刺殺我。當著我的面，你試一刀吧！」

張文祥輕輕地點下頭，似對這句話滿意。他右手握刀把，左手在刀尖上觸摸幾下，轉過身去，面對著牛皮靶子。然後雙手張開，與肩膀形成一直線，歛容吸氣，再吐氣，如此三次。

突然，他猛地大叫一聲，雙手在眼前掄了幾個圓圈，雙眼緊閉，縱身一跳，落地後，一陣颶風似地向前衝去。只見握刀的右手用力向靶子一戳，刀尖從背面露出兩寸來，五張牛皮一齊破了！

「好！」兩個戈什哈失聲喊道。

張文祥鬆開手，讓刀留在靶子上，然後走到曾國藩面前，若無其事地垂手站立。曾國藩以手撫鬚，面無表情地看著張文祥，心裏暗暗稱讚。

「萬巡捕，你去通知廚房，從今天晚餐起，每餐給張文祥加一斤豬肉，半斤白酒！」張文祥一聽大喜，忙彎腰說：「多謝了！」

又過了三天，被帶到曾國藩會客間的張文祥，已紅光滿面，器宇昂揚了。曾國藩著黑布便長袍，套上那件穿了二十多年的石青哈拉呢馬掛，安詳和藹，面帶微笑，那神情，完全不像審訊謀刺總督的欽命要犯，而是與一個多年老友相會。

「你坐下吧！」他指了指對面的一條長板凳，對張文祥說。又對萬巡捕揮了揮手，「你出去，我不喊，你莫進來。」

待萬巡捕出去並關上門後，曾國藩和氣地說：「張文祥，你是一個犯了死罪的人，本該受盡折磨後再服大刑。本督看你行刺後並不逃走，亦不辯解，一人做事一人當，知你是個光明義烈漢子。你年富力强，又有本事，哪裏不可以混碗飯吃，本督想你若無深仇大恨，必不會走此殺人毀己的絕路。以前魁將軍、張漕台、梅藩台多次審訊你，你都閉口不談，本督對你這種態度不能理解。大清朝開國兩百多年來，光天化日之下謀刺總督，你是第一人，十年二十年，百年二百年，後人都會記得這樁案子。你此舉或是爲自己，或是爲朋友，既然人都敢殺，還有什麼話不敢說呢？何必留下一團疑雲，讓後人去胡猜亂想呢？其後果，很有可能讓你永遠背一個惡名。」

這番話，居然出自一個審訊他的人之口，令張文祥既意外又感動，他沉默良久。幾次看曾國藩，見其眼光都是和善的，臉上都帶著笑容，像是在耐心等待，並不催他。說不說呢？張文祥的心裏兩種念頭在激烈地爭鬥。最後，他咬了咬牙說：「你幫我辦成一樁事，我就和盤托出，都告訴你。」

「什麼事，你說吧！」曾國藩語氣仍然和緩。

「你幫我殺一個人。」

「殺誰？」曾國藩微覺吃驚。

「他叫申名標。」

「申名標！」曾國藩差點驚叫起來。這個他痛恨已極、追捕多年未得的人，怎麼又會成爲這個刺客的仇人？眞是匪夷所思。

「申名標在哪裏?」

「他現在浙江省臨安縣東天目山法華寺當住持，法名悟非。」

「行!」曾國藩立即答應。他早就想殺申名標了，只是一直不知他的去向，現在正好來個順水推舟，一舉兩得。

「我要驗看首級。」

「可以。」

十天後，當申名標血淋淋的頭顱呈現在張文祥面前時，他臉上露出暢意的表情，不待曾國藩催促，便把刺殺馬新貽的前因後果原原本本地招供出來了。

五　張文祥招供

張文祥是河南汝陽人，自小家境貧寒，十五歲上死了父親，十七歲上死了母親，剩下他孤零零的一個人四處流浪，八方爲家。苦難飄泊的生涯，養成了他倔强凶頑、不懼生死的亡命之徒的性格，也使他零零碎碎地漂學了一些拳腳功夫。他有錢則嫖賭鬼混，無錢也能忍受飢餓寒冷。他殘暴横蠻，卻很講江湖義氣，爲朋友敢赴湯蹈火，兩肋插刀，是一個標準的江湖浪人。

二十歲時，他從河南流落到安徽，很快加入皖北淮鹽走私集團。不久，又在龔得樹部下做一名捻軍小頭目。咸豐十一年，龔得樹率部南下救援安慶，被鮑超幾發瞎炮轟跑。張文祥沒有北撤，他率領一百餘名兄弟歸併到陳玉成部，頗受器重，升了個師帥。安慶攻破後，張文祥受了重傷，他躲在一個老百姓家裏養傷。見太平軍勢衰，湘軍氣旺，便在傷好後剃了頭髮，投入了鮑超的霆軍，在申名標的慶字營裏當了一名勇丁。

申名標在慶字營裏發展哥老會，張文祥是他的骨幹。打青陽時，張文祥偶得一個紫金羅漢。申名標很喜愛，藉口哥老會經費缺乏，把紫金羅漢騙了去。張文祥心眼直，不計較此事。後來，江寧打下了，吉字營把小天堂的金銀財寶洗劫一空，最後連天王宮也一把火燒了。霆軍卻沒有發到財，從將官到勇丁，個個既眼紅又惱火。以後又叫他們去福建追殺汪海洋部，恰好鮑超回四川探親，申名標鼓動兵丁索欠餉，霆軍嘩變了。趙烈文帶著十五萬餉銀前來安撫，大部份人穩定下來，申名標、張文祥等人見機不妙，匆匆逃走。在途中，張文祥想起那個紫金羅漢，要申名標把它賣掉，大家分點銀子謀生。申名標扯謊說羅漢被人偷走了，他氣得和申名標分了手。張文祥又開始流落起來。

這一天，他又飢又渴地來到東天目山腳，忽聽見山坳裏傳出陣陣鐘聲，鐘聲中還雜夾著含混不清的梵音。他心中一喜：前面不遠處必定有座寺廟，不如權借此地住幾天再說。他跟著聲音盤山轉嶺，在一片參天古木中果然看見一處寺廟。這寺廟極爲壯觀，紅牆中圍著大大小小數十間殿堂僧舍。它就是東天目山有名的法華寺，裏面有僧衆二百號人。

張文祥來到三門，請求在廟裏住兩天。也是他的機緣好，恰遇住持圓燈法師送一個貴客出門。圓燈法師對張文祥注目良久，慈祥地問：「施主從何處而來？因何事要在敝寺借宿？」

張文祥想了想說：「我叫張文祥，因經商破產，又讓伙伴拐走了剩餘銀錢，現在一文錢都沒有了，想在這裏賒兩餐飯吃。」

「我佛慈悲，救苦救難，吃兩餐飯不難。但施主折本破產，今後如何生活？家裏可有父母妻兒？」

「我上無父母，下無妻小，今後如何過活，我也沒有多考慮，不知你這裏要不要人做事，我有一身力氣，砍柴擔水都行。」

圓燈法師眯起雙眼又細細地看了他一眼，問：「你可會使槍弄棒？」

「略懂一點。」

「好！」法師高興起來，「你就在這裏住下來，你願否皈依佛門？」

「佛門好是好，」張文祥笑了笑，說，「只是我喝酒吃肉慣了，耐不得清淡。」

「那也好，你就不削髮吧！」法師無半點反感，說，「我這寺院外三里處有一大片棗林，每年打下的棗子是寺裏的一項大收入。到了棗熟時節，總有人來偷，守林的百了和尚孱弱，你幫他一起守如何？」

「太好了！」張文祥喜出望外，對法師鞠了一躬，「多謝法師收留！」

圓燈法師為何對張文祥這樣好，這是有緣故的。原來這個法師並不是安分守己的吃齋唸佛人，而是個欲借佛門成大事的有志者。他本是閩南天地會的首領之一，名叫鄭南漳，是鄭成功九世孫，智勇兼備，手下兄弟衆多。他暗中打造兵器，繪製旗幟，並與洪秀全聯絡，準備在閩南起事，與太平天國遙相呼應。事尚未成熟，卻不料走漏風聲，給福建巡撫呂佺孫破獲了。倉促之間，鄭南漳的部下大部份被抓被殺，他僅帶著幾十個弟兄連夜逃走，北上金陵會見天王。誰知走到天目山下，便聽到天京內訌的噩耗：先是北王殺東王，後是天王殺北王，再後是翼王出走，京城裏殺氣瀰漫，屍積如山，一片錦鏽前程上忽罩滿天烏雲，太平天國元氣大傷，前景暗淡。本已心情沉痛的鄭南漳，頓時對天國心灰意冷，一氣之下，在法華寺裏削髮為僧，改名圓燈。隨行的弟兄多半星散，也有幾個跟他一起遁入空門。不想法華寺方丈慈靜長老也是個隱身空門的熱血志士，得知圓燈的情況，便竭力慫恿他借佛門辦大事。圓燈精神重振，將法華寺辦成了個少林寺，僧衆都習拳練刀，又暗暗地透過弟弟與閩浙一帶的天地會取得聯繫。後來天京失落，他們也未消沉，欲伺機再起。圓燈以他武功師的眼力，看出了張文祥非尋常百姓，法華寺亟需這樣的人。

張文祥在棗林住下來。幾天後，圓燈來看望他，又叫他當場演練了幾套拳腳，果然不錯。圓燈便請張文祥做個教師，教習寺內僧衆武功。張文祥在法華寺安下心來，日子也還過得平靜。三個月後，他突發傷寒，全身發燒，大便屙血，整天昏迷不醒，脈搏一天天弱下去，眼看人世漸遠，黃泉路近，醫師們皆束手無策。

這天，圓燈法師在大雄寶殿對著佛祖祈禱之後，吩咐醫師盡一切力量保住三天不出事。然後脫去袈裟，換上短衣，帶著一把鋼刀，幾斤乾糧，背一個竹簍，隻身進了天目山。第三天傍晚，圓燈回來了，竹簍裏關一條極毒的七步小青蛇，簍蓋上綁一簇各色草藥。圓燈把草藥剁碎，又榨出漿來，然後從竹簍裏拖出那條七步蛇，一手掐腰，一手掐頭，那蛇痛得張開口，毒液順著舌頭流進藥漿。他親手撬開張文祥緊閉的牙關，將藥漿灌下去。到後半夜，燒漸退了。第二天上午又灌一劑，兩個時辰後脈搏正常，臨黑時張文祥已能自己開口吃藥了。這一夜他呼呼酣睡，到了天亮時，便能起身吃飯了。當張文祥得知圓燈冒著生命危險闖進深山，爲他捉七步蛇時，這個剛倔寡情的硬漢子第一次流下了感激的淚水。

他跪在圓燈面前，請求收他爲佛門弟子。圓燈雙手扶起，說：「佛法廣大，無所不在，其宗旨乃除惡爲善，與世人造福。至於削髮不削髮，穿袈裟不穿袈裟，實無大區別。你若有心跟著我除惡爲善的話，可否聽得進我一番勸告。」

「我這條小命全是法師給的，今生今世，法師說什麼，我都聽從。」

於是圓燈把張文祥帶進方丈室，將天地會反淸復明及他自己所悟出的驅逐洋人、保衛中華的各種道理，給張文祥講了一通。張文祥這時才將自己參加過捻子、太平軍和湘軍的複雜經歷全部倒了出來，並說出自己在湘軍中是哥老會的二大爺。圓燈說：「湘軍雖然可惡，爲虎作倀，助紂爲虐，但哥老會與天地會是一家人，你我早就是兄弟了，我對你完全相信。你吃慣了酒肉，也飄蕩成性，受不了佛門淸規的禁約，你也不必受戒。我的胞弟組織了一些人在浙江沿海劫富濟貧，並接濟法華寺，你今後就爲我辦一件事：每月去一趟海邊，與我的胞弟接頭，帶一些金銀回來。」

張文祥久靜思動，正想外出闖蕩，聽了這話，歡天喜地。從那以後，便爲圓燈和其胞弟當起聯絡員來。張文祥講義氣，重承諾，膽子大，武功好，幾次往來後，受到了圓燈兄弟的格外器重。圓燈又爲張文祥在附近覓了一房妻室。第二年，妻子爲他生了個兒子。飄泊半生的張文祥，而今有了延續香火的親生骨肉，眞個是對圓燈感恩不盡，發誓要以身相報。

幾年後，張文祥在一次從海邊回天目山的路上，偶爾遇見了開小押店的申名標。故人相見，分外親切。談起分別後的情景，申名標連連嘆氣，張文祥卻喜滿眉梢。申名標聽說圓燈出家前也是天地會的頭人，便決定關閉小押店，與張文祥一起去投奔圓燈法師，張文祥自然同意。在法師面前，張文祥將申名標的武藝大大稱讚了一番。圓燈見申曾是關天培手下的把總，曾國藩手下的營官，毫不猶豫地接納了。申名標表示要做一個完完全全的僧人，圓燈也立即同意，親自給他剃髮，取了個法名叫悟非。申名標已是五十歲的人了，圓燈見他閱歷豐富，本事高，不久又提拔他做監院，地位僅次於方丈，在法華寺裏坐了第二把交椅。有一天，張文祥偶爾在申名標的禪房裏發現了那尊紫金羅漢，心裏很不痛快，想想自己不缺錢用，何必爲此事再傷感情，遂不作聲，心裏卻開始鄙薄申名標的爲人。這一年，浙江巡撫馬新貽在寧波、台州沿海大破走私海盜，圓燈的胞弟也被馬新貽所獲，處以極刑。消息傳到法華寺，圓燈悲痛欲絕，張文祥也怒火萬丈，法華寺爲圓燈之弟的亡靈念了七天七夜的超渡經。張文祥在佛祖面前立下海誓

：今生不殺馬新貽，爲圓燈兄弟報仇，則不爲世上一男子！

張文祥從此在法華寺裏苦練功夫。白天他用短刀戳牛皮，夜晚他飛刀斷香火，爲的是今後無論遠近無論冬夏，只要遇到馬新貽，便叫他不能從刀下躲過。整整練了兩年，他練就了一刀貫五張牛皮的力氣和三十步內滅香頭的絕技。他要下山辦大事了。

臨走前一夜，他摟著三歲的兒子親了又親，妻子覺得奇怪。他終於忍不住了，把下山的目的告訴妻子。聽說要謀殺總督大人，妻子驚呆了，哭著求他看在兒子份上，不要這樣。張文祥安慰說：「我受法師大恩，不容不報，刺殺之後，我會有辦法脫身的，你不要替我擔心。」

妻子仍痛哭不已：「總督身邊有許多衛兵，你如何脫身得了？」

「我會遠遠地擲刀。」

張文祥說完，要妻子點燃一支香，插到三十步遠的一棵樹上。他把腰刀平放在右手掌上，對著它吹了一下，又深深地吸了一口長氣，然後運足氣力，腰微微向前，右手在前胸打了一個圓圈，口裏叫一聲「去」，只見一道白光從手掌裏飛出，一眨眼功夫，樹桿上發出「喳」一聲響，香頭不見了，腰刀直挺挺地插在樹桿上。妻子只得含淚爲他收拾行裝。

次日清早，圓燈交給他兩把用毒藥淬過的精緻鋼腰刀，此刀見血封喉，立死無救。圓燈雙手在胸前合十，莊嚴地說：「施主仗義勇爲，俠膽豪腸，今之荊軻、聶政也。貧僧代表苦海蒼生，且也爲我自己，敬施主一杯酒，願菩薩保佑你大功告就。」說罷，從身旁小沙彌手裏端過一杯酒來。張文祥雙手接過，激動地說：「法師放心，不達目的，我張文祥再不回天目山見老婆孩子！」

圓燈和申名標把張文祥送到半山腰。張文祥託付申名標照看妻兒。申名標拍著他的肩膀說：「你我是兵火中的兄弟，生死之交，不用託付，你家裏的事我都包了！」

張文祥離開天目山，一口氣奔到江寧，在兩江總督衙門附近尋了一個小旅店安下身來，天天密切注視著衙門裏的動靜。馬新貽通常不出衙門，偶爾一出，也坐在大轎裏，前後左右有上百個荷槍實彈的士兵保護。張文祥一住三個月，找不到下手的機會。這一日馬新貽出門了，照例是坐在綠呢大轎裏，警衛森嚴，張文祥腰插短刀，遠遠地跟隨著轎隊。

因爲原先的兩江總督衙門還在修建之中，馬新貽將督署暫設在江寧知府衙門內。轎隊出了府東大街後，進了盧妃巷，再穿過堂子巷，就開始過一座座石板橋了：先是虹橋，再是蓮花橋、蓮花第五橋，接著是嚴家橋、紅板橋，踏過石橋、兩倉橋後，進了鼓樓大街。過了鼓樓，綠呢大轎在紫竹林中一座高聳著鐵十字架的教堂前停下來。轎門掀開，白白胖胖、儀表非俗的馬新貽邁進了教堂大門。原來，他這是對法國天主教江南教區主教郎懷仁的回拜。幾天前，郎懷仁拜會了馬新貽。那時天津教案已經爆發，江寧城裏人心浮動，砸天主教堂的呼聲不斷。郎懷仁心裏恐慌。拜會馬新貽後的第二天，紫竹林便新增了三百名清兵。江寧大街小巷到處貼滿了蓋有：「欽差大臣辦理江南通商事務兩江總督馬」大印的告示，告示上赫然寫著：「天主教以勸人行善爲本，凡傳教之士，本督厚待保護，中國習教之人聽其自便，本督亦不干涉。民教相處，務須和睦，彼此恭敬。若有不法之徒膽敢效法天津莠民，聚衆滋事，焚堂毀教，則國法森然，斷難曲貸。士民人等，共各凜遵。特示。」百姓們看了告示後，都罵馬新貽偏袒洋人，沒有良心。馬新貽不在乎，爲了討好郎懷仁，他今天又來回拜。

張文祥跟著轎隊也來到了紫竹林，混在圍觀的人羣中。教堂大門口佈滿了衛兵，他無法靠近。張文祥把四周環境細細打量了一番，見離教堂大門口約一百步遠的地方，另有一片小小的竹叢，那裏長著十幾根大楠竹，葉片繁密，竹幹很粗，似可隱藏。遺憾的是距大門遠了點，倘若在五六十步之內，腰刀飛去，插入胸脯不成問題，百步之外則無絕對把握。他猶豫了很久，還是走進了竹叢。看看比比，仍覺不理想，正要走出竹叢時，教堂大門開了。頭戴黑帽，身穿黑長袍，頸脖子上掛一個白色十字架的江南主教郎懷仁，滿臉笑容地陪著馬新貽走了出來。不湊巧，郎懷仁所處的位置正好在竹叢這一邊，這個高大魁梧的洋人將馬新貽給保護了。張文祥的右手一直摸著藏在內褂口袋裏的腰刀，卻不能把它抽出來。他眼睜睜地看著，一眨也不眨地企圖抓住瞬間良機。

機會到了！在臨近轎門時，郎懷仁站著不動了。馬新貽走前兩步，在轎簾前站住，又轉過臉向郎懷仁抱拳。張文祥猛地摸出腰刀，揚起右手，就要將刀投過去。忽然，他的手臂被人輕輕地拍了一下。張文祥這一驚非同小可！他轉過臉去，只見身後站著一個三十餘歲的文弱書生。那人微笑著對他說：「大哥，你太莽撞了，相距這樣遠，你有把握嗎？」

張文祥惱怒地說：「不要你管！」

說罷又要舉刀，誰知這時馬新貽已踏進轎門。「晚了！」張文祥脫口而出。

「大哥，我請你喝兩杯如何？」那人越發笑得親切了。

張文祥見他無惡意，便隨他走出竹叢。二人進了一家偏僻的酒店裏，選了一個單間坐下。那人吩咐酒保擺上幾盤大魚大肉，又要了一斤古泉大曲，對酒保說：「酒菜都夠了，不叫你，不要進來打擾。」

酒保答應一聲出去了。

「大哥，你為何要謀刺馬制台？」那人壓低聲音問。

「你如何知我要殺馬制台，我是要殺洋人。」張文祥面不改色地說。當時人們都恨洋人尤其恨傳教的洋人，敢殺洋人的人被視為英雄。

「眞人面前不要說假話。」那人冷笑一聲，「若殺洋人，洋人一直站在那裏，為何說晚了？」

張文祥想起自己是說了這兩個字，不做聲了。

「大哥，我和你一樣的心思，要幹掉他！」那人將酒杯往桌上一磕。

「你叫什麼名字？」張文祥十分驚疑。「幹什麼的，你為何要幹掉他？」

那人提壺給張文祥斟上酒，也將自己的杯子倒滿：「大哥，乾了這杯，我告訴你。」

兩個酒杯相碰，各人一飲而盡。

「我姓喬，排行老三，你就叫我喬三吧！」喬三靠在牆壁上款款地說，「剛才送馬新貽出來的那個法國主教郎懷仁，他跟馬新貽的關係非同一般。你知道他們之間的往事嗎？」張文祥搖搖頭。

「咸豐四年，馬新貽奉命帶兵到上海打小刀會，戰爭中受了傷，被送到法國人辦的董家渡醫院，郎懷仁當時是這家醫院的院長，馬新貽傷好後，在郎懷仁的引誘下，洗禮入了天主教。從那以後，法國人就時常在咸豐爺面前，以後又在兩宮太后面前竭力吹捧馬新貽，說他精明能幹，是中國官員中罕見的人才。就這樣，馬新貽步步高升，以一庸才居然接替曾中堂坐鎮兩江，朝廷中以醇王爲首的親貴大臣甚爲不滿，怎奈馬新貽深得太后和恭王的信任，奈何他不得。馬新貽感激洋人的幫忙，遂一心投靠洋人。去年安慶發生教案，法國公使羅淑亞跑到江寧，提出賠償損失，在城內劃地爲教會建堂、懲辦激於義憤而砸教堂的百姓，馬新貽一一照辦，還出告示威脅百姓，魁將軍、梅藩台都頗不以爲然。前些日子天津百姓放火燒教堂、誅洋人，本是一件大快人心的好事，馬新貽這個賣國賊居然上書太后，要求嚴懲義民，向洋人賠禮道歉。他的這副奴才嘴臉，使醇王、魁將軍、梅藩台等恨得咬牙，醇王給魁將軍的信上說，必欲殺馬而後快。」

「你到底是什麼人？」張文祥聽了半天，仍未見此人暴露身分，不耐煩了。「你是京師醇王派來的人？」

喬三搖搖頭。

「你是魁將軍派的人？」

喬三又搖搖頭。

「那你是梅藩台的人?」

喬三搖搖頭，笑著說:「大哥不必問我是什麼人，告訴你，我和你一樣，也要殺馬就行了。」

「你弄錯了，我不殺馬。」張文祥見他不露身分，心中甚是懷疑，冷冷地說。

「哈哈哈!」那人大笑起來，說，「大哥，你聽說過螳螂捕蟬、黃雀在後的故事嗎?」

「你說什麼?」張文祥大驚。

「大哥，兩個月來，你天天在總督衙門四周轉來轉去，你瞞得過別人，還能瞞得過我嗎?你如果眞的要殺馬，我會幫助你，而且我也會感謝你。」

「好吧，我對你實說吧，我是要殺馬，爲朋友報仇，並在佛祖面前許了願，不達目的，誓不罷休。你如何幫助，又如何感謝?」張文祥瞪起眼睛望著喬三，那眼神是冷漠而懷疑的。

「大哥，我告訴你，七月二十五日那天，馬新貽會在校場檢閱武職月課。」

「眞的?」張文祥大喜。「這是個好機會。」

「校場上武弁數百，刀槍如林且圍觀的百姓都只能在柵欄外，你如何下手?」

是的，校場重地，豈容刺客逞能?張文祥的心涼了。

「不過不要緊，大哥。」喬三見張文祥的臉陰下來，遂笑道，「校場箭道通督署後門，馬新貽通常檢閱完畢，步行由箭道入署，你可以在箭道上行事。」

「我如何能靠近箭道呢？」張文祥爲難起來，「且馬新貽在路上走，也不一定能保證腰刀飛中要害。」

「大哥，這正是小弟能幫忙之處。」喬三得意地說，「到時我會叫你順著人羣進入校場，到時我也會有法子叫馬新貽停下來。」

「好，若這樣，我可以面對面地扎死他！」張文祥狠狠地說。又問，「你拿什麼來感謝我呢？」

「我送你三千兩銀子。」喬三揚起右手，伸出三個指頭。

「一旦行刺，我即被抓，要三千兩銀子何用。」張文祥搖了搖頭。

「大哥，你難道就沒有父母妻兒？」

一句話說得張文祥猛醒：是的，自己若是死了，妻兒怎麼辦？離家時，並沒有留下幾兩銀子，她們母子今後如何安身立命？

「行啦，麻煩你先將銀子送給我的妻子，並順便將我常用的兩根綁帶捎來。」

「嫂子住在何處？」

「浙江東天目山法華寺。」

八天後，喬三回來了。他將兩根黑絲帶遞給張文祥，並告訴他一件意外的事：申名標毒死了圓燈法師，當上了法華寺的住持，妻子要他回去殺申名標，爲圓燈法師報仇。張文祥悲憤已極，恨不能立即宰掉狠心狗肺的申名標，但想到後天便是七月二十五日，這個絕好的機會不能錯過；且已收下了喬三的銀子，也不能失信，於是只好忍下。

「兄弟。」張文祥對喬三說，「圓燈法師是我的救命恩人，害死他的人，我是不會容忍的。我這次殺掉馬新貽，料定不能脫身，我死之後，求你辦一件事。」

「什麼事？」

「代我殺掉申名標。」

喬三猶豫了一下，說：「你放心吧，我會去辦。」

「你如不辦，我的鬼魂不會放過你的！」張文祥死勁瞪了喬三一眼。

「你講的這些都是實話？」待張文祥講完後，曾國藩的兩道眉毛已皺得緊緊的了。

「我張文祥是條硬漢子，生平從來不說假話，信不信由你。」張文祥並不分辯。

「你說你曾在鮑超部下當過哨長，你知道我是誰嗎？」曾國藩靠在椅背上，習慣地捋起長鬚。

「認識。第一次見到你，我就認出來了。你是曾大人，不過從前精神多了，完全不是現在這副衰老的樣子。」張文祥答。他已抱定必死之心，不想討好曾國藩，心裏怎麼想的，他就怎麼說。

「以前魁將軍、張漕台問你時，你爲何不說呢？」

「我不願意言及圓燈法師，免得法華寺的僧衆受牽累。」

「那你爲何又對我說呢？」曾國藩將雙眼瞇成一條縫，以極不信任的態度審問。

「因爲我和你有約在先。」對曾國藩這種態度，張文祥甚是鄙夷。他輕蔑地說，「我諒你也不會說出去，更不敢上奏皇上。」

「爲什麼？」曾國藩充滿恨意地問。

「因爲我曾經是湘軍的小頭目，湘軍小頭目謀刺總督大人，你這個湘軍統帥臉上有光嗎？」

曾國藩頹然了，他無力地揮揮手，示意張文祥離開這裏。

張文祥的這個招供，曾國藩不聽還罷了，聽後弄得惶惑不安，甚至有點束手無策了。幕僚們匯報江寧城裏的傳聞時，他對一個現象很是懷疑：爲什麼關於這樁案子的說法如此多而離奇呢？街頭巷尾議論之外，茶樓酒肆居然還編起了曲文演唱。張文祥的招供可以爲解釋此疑提供答案，即背後有强有力的人物與馬有大仇，製造各種流言蜚語損壞他的名聲，而且還要藉此去掩蓋張文祥刺馬的眞正意圖。

這人物是誰呢？抓起喬三當然可以審訊清楚，但喬三往哪裏去抓？這是一個極精明老練的傢伙，他與張文祥的交往並沒有留下一絲痕跡。張文祥至今不知道他是幹什麼的，不知道他的眞實姓名。喬者，假也。沒有讀過書的張文祥不懂，曾國藩一聽便知道。張文祥被他騙了，但又未騙。教堂門口的制止是對的；提供情報是準確的；關鍵時刻柵欄擠倒，正好讓張文祥混進校場，王成鎭的乞貸，目的在於讓馬停步，這些也可能是他暗中安排的；三千兩銀子也的確送到了張妻的手裏。喬三到底是個什麼人呢？他也是一個要殺馬的人，這點無可懷疑。他是爲自己，還是爲別人呢？他在衙門外盯張文祥的梢，又在教堂門口觀看馬，又與張在小酒舖裏喝酒，這一系列擧動證明他身分不高。身分不高的人不可能在江寧掀起滿城風雨。這樣看來，喬三背後有人，他也是在爲別人賣命。這個人出手很闊，勢力很大，他是誰呢？是京師裏的醇王？還是江寧城裏的魁玉？他們恨他投靠洋人，欲殺之而洩憤？曾國藩知道醇郡王奕譞最恨洋人。這幾年來，在民教衝突中，他是清議派的靠山，儼然成了百姓和國家利益的維護者。他痛恨保護洋人洋敎的馬新貽，又無權罷黜，便不惜以重金通過魁玉派人刺殺馬，這不是不可能的。但這是推測，並無依據，即使有依據，他曾國藩敢在奏章中觸及到皇上的親叔、西太后的妹婿嗎？當年曾國藩血氣方剛、手握重兵，尚且不敢與皇家較量，何況今日？

曾國藩轉念又想，也可能整個招供，都是張文祥爲自己臉上貼金而胡編亂造的。這個傢伙很可能是一個既在撚軍、長毛裏混過，又在湘軍裏混過的無賴流氓、亡命之徒，他爲自己的私仇或爲不可告人的目的受人指使，刺殺了馬新貽，而馬卻是一個無辜的以身殉職的官員。曾國藩想起自己爲官幾十年，尤其是辦湘軍、爲地方官以來，與他構成怨仇的人何止千百，其中也不乏拼卻一死、與之同亡的大仇人。將心比心，能不可憐馬新貽嗎？更使曾國藩不安的是，這個可恨的張文祥，居然曾充當過湘軍的哨長。這件事傳揚出去，豈不給湘軍臉上大大抹黑！湘軍中有惡棍歹徒，有痞子盜寇，有殺人越貨之輩，有奸淫擄掠之人，這都不要緊。這些人當兵吃糧的軍營裏，何處沒有？綠營裏有的是，八旗兵裏有的是。曾國藩不怕。但大淸立國二百多年來，史無前例的謀刺總督案，是一個曾在湘軍中當過哨長的人所幹。這事傳進太后、皇上之耳，播在萬人之口，今後寫在史册上，留在案卷裏，卻是一件給前湘軍統帥大大丟臉的事情！天津敎案已使他聲名大減，再加上這麼一下，他以後尚有多少功績留給後人？這樁疑雲四起、撲朔迷離的刺馬大案，又一次將曾國藩推到身心俱瘁的苦難漩渦中。

一個半月後，刑部尚書鄭敦謹姍姍來到江寧。這個奉旨查辦馬案的欽差大臣，從京師出發，居然走了四個月！從北京到江寧只有二千四百里驛程，也就是說，他每天只走二十里！

下關碼頭接官廳裏，鄭敦謹一落座，便連連對曾國藩說：「卑職年老體弱，一路上水土不服，遭了三場大病，因而來遲了，尚望老中堂海諒。」

「大司寇辛苦了！現在身體復原了嗎？」曾國藩見眼前這位高大健壯、氣色好得很的同鄉星使，公然在他面前扯著大謊，心裏一陣好笑。其實，曾國藩不僅對他可以原諒，而且希望他不來更好。

「這兩天略微好點了，但還是頭昏眼花，渾身無力。」鄭敦謹懶洋洋地說，完全是一副大病初癒的樣子。

「進城後好好休息兩天，要不要再喚個好醫生把把脈？」

「多謝老中堂！卑職於醫道略懂一點，醫生不必叫了，我休息幾天就行了。老中堂和魁將軍、張漕台這幾個月辛苦了。在路上我看到京報上登的老中堂的奏章，說刺客拒不招供，估計是個報仇的漏網髮逆。老中堂分析得對極了。我看完全就是這回事。馬穀山殺長毛何止千百，定然與他們結下了大仇。張文祥這個王八蛋捨掉自己的命，拖馬穀山一道上黃泉。你們看呢？」鄭敦謹轉過臉，對前來迎接的魁玉、張之萬、梅啓照等人打了兩下哈哈，「我看你們各位呀，今後都得小心點，當官的誰沒有幾個仇人呀！」說罷，自個兒哈哈大笑起來。

張之萬說：「我於審案一事無經驗，還要靠刑部大老爺您來定案。」

「哪裏，哪裏！」鄭敦謹忙擺手。「老中堂二十多年前就當過刑部侍郎，這世上哪個人的花招，能瞞得過老中堂的法眼？這個案子要我定什麼案，老中堂奏章中的分析就是定案。」

鄭敦謹的這幾句話，說得曾國藩大爲放心。這分明意味著，他不會再認眞地審訊張文祥，他不過是做做樣子而已；且一路走了四個月，既不是生病，也大概不是因遊山玩水而疏懶瀆職，說不定這個精明的刑部尚書早已窺視了某些內幕。曾國藩又想起陛見時太后對此事的冷淡，莫非殺掉馬新貽正是出自醇王的意思而得到了太后的默許？這個三十多歲的年輕太后秉政十年了，治國的大本領寥寥，整人的手腕卻異常的高明陰毒，她是完全可以做得出蜜糖裏下砒霜的事來的。

第二天一早，張之萬便來告辭，如同跳出火坑似地匆匆離江寧回清江浦。自此以後，魁玉、梅啓照等人也都不再過問此事了。鄭敦謹傳見一次張文祥，問了幾句無關緊要的話後，便到棲霞山去休養，一住半個月過去了，毫無返回江寧的意思。看來，他們都不想染指此事，最後如何結案，都指望著曾國藩一人拿出主意。曾國藩和趙烈文等人細細商量著，如何寫一份能夠使人相信的結案材料，既能夠向太后、皇上作交代，又能顧及馬新貽，也就是說顧及整個官場的體面，且不能絲毫牽涉到湘軍，同時又可以自圓其說，堵住天下悠悠之口。正在冥思苦想之際，卻不料馬案又出現了新的情況。

六　馬案又起迷霧

這一天，總督衙門接到一封無頭稟帖。稟帖上說，前兩江總督馬新貽，爲江蘇巡撫丁日昌的兒子候補道丁蕙蘅派人所殺。事情是這樣的——

丁日昌的獨生子丁蕙蘅是個花花公子，讀書不長進，成天吃喝嫖賭，二十歲了，還沒考中秀才。丁日昌急了，給他捐了個生員，指望他能考中舉人。考了三次，文章做得狗屁不通，他自己也不想考了。丁日昌九十歲的老母親疼愛孫子，便對兒子說：「你當了巡撫，榮華富貴，就不替兒子著想？我丁家做官就做到你這一代爲止了？」

丁日昌是個孝子，又是個慈父，也是個斂財有方的貪官，他有的是貪污來的大量銀子，於是又給兒子捐了個監生。因爲當時的規定，捐納者必須具有監生的資格。接著，他又兌上二萬兩銀子，給兒子買了一個候補道。一般人要通過十年寒窗苦讀，中舉中進士點翰林，當了幾年翰苑編修，遇到格外天恩，放出到地方任個知府，再要小心翼翼，加上不斷向上司討好獻殷勤，才能指望升個道員。這丁蕙蘅詩書不通，世事不懂，憑著老子來路不清白的銀子，輕而易舉地就得到一個候補道的官職，只待哪處道員出缺，他便走馬上任，戴起正四品青金石頂戴，穿起八蟒五爪雪雁補子袍服來，升堂理事，頤指氣使了。

丁蕙蘅雖然隨時都有可能當個正式中級官員，卻仍不知修性養德，他嫌住蘇州在父親管束下不方便，便帶著妻妾和幾個家人在江寧城南秦淮河邊金谷塘買了一棟寬敞的帶花園的樓房住下來，每天除在家裏與妻妾調笑、打牌賭博外，便在酒樓歌場聽曲飲酒，在花街柳巷尋歡作樂。

這一天，他來到秦淮河邊，踱進了重建不久的媚香樓。這媚香樓是晚明秦淮河名妓李香君的住所，清兵打金陵時毀於兵火，後又恢復。咸豐二年底，太平軍進入小天堂，媚香樓再次被燒。同治三年，趙烈文奉曾國藩命整修秦淮河，媚香樓便又應運重建。眼下的媚香樓，比咸豐二年前的舊樓還要華麗數倍，幾乎趕上了李香君時代的水準——豔領羣芳之首。

丁公子一登樓，鴇母便安排他平日最喜歡的姑娘香玉來陪伴。香玉彈著曲子，陪著丁蕙蘅吃著花酒。正在愜意之時，丁蕙蘅一眼看見一個十七八歲的麗人依偎著一個翩翩少年，從他身邊走過去，一股濃烈的香味直嗆他的鼻子。丁蕙蘅魂銷魄散，忙喊鴇母過來，指著背影問：「那姑娘是誰？」

「新來的香碧。」鴇母諂笑道，「丁公子喜歡她？」

「嗯。」丁蕙蘅還在貪婪地呼吸香碧留下的餘香，痴痴地望著衣裾擺動的倩影。「你去叫她過來，陪陪我丁大爺吧！」

「丁公子。」鴇母親自給丁蕙蘅斟了一杯酒，滿臉堆笑地說，「你喜歡她，那還不好說嗎？以後叫她來陪你，只是這幾天不行。」

「爲什麼？」丁公子惱怒起來。

「丁公子。」鴇母緊挨著丁蕙蘅的身邊坐下來，媚態十足地說，「你莫生氣，這五天裏香碧被一個揚州來的富商公子包了，五天後他一走，香碧就是你的人。」

「不行，你要大爺等五天，大爺會要等死的。」丁蕙蘅心急火燎，恨不得馬上就將香碧摟入懷中。「什麼富商公子，叫他識相點，早點讓出來，否則丁大爺不客氣！」

鴇母奈何不了丁蕙蘅，只得跟那巨商之子商量。那年輕人也是財大氣粗、血氣方剛，正跟香碧熱乎得一刻都不能離，準備以巨資贖身長期相聚，豈肯讓出！便氣呼呼地衝出房門，指著丁蕙蘅的臉罵他無理取鬧。這下可惹怒了這個衙內。他一揮手，幾個惡奴一擁而上，亂拳打了起來。那富商之子酒色過度淘虛了身體，受不了幾下便一命嗚呼了。丁蕙蘅知道闖下禍了，塞給鴇母二百兩銀子，要她收殮送回揚州，自己拍拍屁股，偷偷地溜出了江寧。

那揚州富商也只這一個寶貝兒子，雖知死於巡撫公子之手，仗著有錢，他也不肯罷休，一面狀告兩江總督衙門，一面又暗中送給馬新貽五千兩銀子。馬新貽拿著此事爲難了：不理嘛，人命關天，富商交接又甚廣，江寧不受，他可以上告都察院、大理寺，最後還得追查自己的責任，且五千兩銀子也得不到；受理嘛，事關丁日昌，這情面如何打得開呢？思來想去，還是受理了。

馬新貽叫丁日昌到江寧來，與他商量此事如何辦。丁日昌對兒子的作爲十分惱恨，他到底要顧及巡撫的體面，不能不做些姿態。最後兩人商定：那天打死人的幾個家丁各打一百板，選一個充軍，賠償銀子一萬兩，革去丁蕙蘅的候補道之職。揚州富商勉强同意，一場人命案就這樣了結了。事平之後，丁蕙蘅回到蘇州，丁日昌氣得將他狠狠地打了一頓，鎖在府裏，不准外出。丁日昌奉旨到天津辦案後，丁老太太見孫子可憐，便放他出來。丁蕙蘅把一腔仇恨都集中到馬新貽身上，於是用重金蓄死士殺馬報仇，張文祥就是用三千兩銀子買下的刺客。

這是馬案又生發出的一團迷霧。曾國藩拿著這張無名稟帖，心頭再添一層煩惱。說所告毫無根據嗎？丁蕙蘅的家丁在妓院鬧事打死人，丁蕙蘅也因此丟了候補道，這是事實。丁日昌也並不隱瞞此事，還專摺上奏太后、皇上，承認自己教子不嚴，請求處分。說張文祥是丁蕙蘅買通的刺客，證據何在？且張文祥的招供中無絲毫涉及此事。丁日昌深受太后器重，在天津辦案時對自己支持甚力，這樣一樁謀刺總督的大案，沒有鐵證，怎能輕易牽連到他的頭上！

曾國藩不置可否，將無頭稟帖依舊封好，派人送到棲霞山，請鄭敦謹處理。第二天，稟帖又回到曾國藩手中，鄭敦謹批道：「此事須愼而又愼，請老中堂定奪。」

「這個滑頭！」曾國藩苦笑著在心裏說。盡管鄭敦謹將擔子又推了回來，但他的意思還是清楚的，不希望此案涉及到丁日昌頭上。這點與曾國藩的想法一致。

如何結束？曾國藩爲此苦苦地思索著。特地從山東趕來的馬新貽的弟弟馬四，天天來督署糾纏，哭著要曾國藩查出主謀。大概是馬四在背後又進行了一些活動，這段時期來京報接連刊出幾封御史的奏摺，聲言要將此案查個水落石出。山東籍京官聯名上疏，振振有詞地說，既然刺客說過「養兵千日，用在一朝」的話，顯然背後有主使，不查出主謀，無以告慰亡督在天之靈。更令朝廷擔憂的是，洋人也在議論此事了。恭王奕訢來了密函，說洋人嘲笑中國政府無能，案子發生五個多月了，凶手也當場抓獲，卻遲遲定不了案，令人遺憾。奕訢敦促曾國藩早日了結馬案，免得中外議論紛紛。

曾國藩很爲難。有時他想，既然太后放了鄭敦謹專程來寧處理此事，不如把千斤擔子都推到他身上去。回過頭一想又不妥。倘若鄭敦謹認眞過問此案，他也可能誘出張文祥的招供來，張文祥仍會說自己是湘軍的哨長、哥老會的二大爺。湘軍中有哥老會，哥老會情形複雜，這些內幕外人並不十分清楚。如果張文祥把這些內幕都掀出來，甚或再添油加醋，揑造些莫須有情節來討好欽差大臣，保得自身的性命，那就壞了大事。湘軍過去攻城略地、消滅長毛的功績將會蒙上一層濃黑的陰影不說，連湘軍唯一留下的人馬——長江水師也可能會被解散，自己也可能會遭到意料不到禍災。不能把此案的終審推給鄭敦謹，要在自己手裏盡快結案。

「大人，彭大人、黃軍門來訪。」傍晚，當曾國藩兀自對著蠟燭枯坐時，親兵進來稟告。

「請。」話音剛落，彭玉麟、黃翼升一先一後地邁進了門檻。

「滌丈，還在辦理公務？」彭玉麟笑著問。

「沒有，這一年多來，我夜晚是一點都不能治事了，只能呆坐著，眞的是尸位素餐，問心有愧。」曾國藩邊說邊招呼他們坐下，親兵獻茶畢，退出。

「聽說丁中丞送給你老一個水晶墨石，用裏面的水點眼睛可使瞎眼復明，眞有此事嗎？」黃翼升問。

「若眞有此事，我的右目不早就復明了。」曾國藩淡淡地笑著，說，「不過丁中丞倒是一片好心，那石頭裏的水雖不能使瞎眼復明，但一滴到眼中便覺清涼舒服。說不定還是靠了這種水，不然左目現在可能也失明了。」

「我去請兩個洋醫生來看看如何？」彭玉麟說。

「算了。我的眼睛就是華佗再世也治不好了，讓它去。瞎了也好，瞎了什麼都看不到了，眼不見心不煩。」曾國藩苦笑著說。彭、黃二人也苦笑著搖搖頭。過一會，他問：「水師近來操練如何？當兵的不打仗，麻煩事更多，只有每日把操練安排緊湊，才可勉强把他們的心拴住。」

彭玉麟說：「長江水師違紀犯法的事，近兩年來屢禁不絕，吸食鴉片成風，打架鬥毆還算是小事一樁，炮船挾帶私鹽、鴉片時有發生，有的營十天半月難得操練一次。」

「那個强搶民女，打死髮妻的副將抓起來了嗎？」曾國藩插話。

「早已抓起來了。」彭玉麟答，「這種事，若不是百姓攔輿告狀，他長年駐黃石磯，一手遮天，我們哪裏知道！」

「對這種人決不能手軟講情。雪琴嫉惡如仇；果斷强硬，我很贊同。有人說你是彭打鐵，其實帶兵的人要的就是這種打鐵的性格。昌歧，你在這方面軟了點。」曾國藩望著黃翼升說，「歐陽平搶民女，這不是第一次了，有人向你告發過，你沒有認眞過問。」

「老中堂指教的是。」黃翼升誠懇地說，「我看歐陽打仗也還行，只輕描淡寫地說了幾句，他也沒當一回事。若是上次說重點，他或許也不至於下毒手打死多年共患難的妻子。」

「是的呀，先是寬容，結果反而害了他。我們帶兵的將領，就好比管子弟的父兄，只宜嚴，不能寬，這就是愛之以其道。」曾國藩說，又問：「歐陽平如何處置？」

「看來不殺不足以平民憤。」彭玉麟堅決地說。

「我也同意，但他是副將，非比尋常武職人員，各項證據都要充分，還要他自己簽字畫押。」曾國藩說。稍停一會，他以沈重的心情感嘆，「歷史上任何一種軍隊，不怕他組建之初是如何的紀律森嚴，以後又是如何的戰功輝煌，時間一久，必定滋生暮氣，直到腐爛敗壞。前代不說，本朝的八旗兵、綠營，當初都是英勇善戰的軍隊，入關統一全國以及平定三藩叛亂，都是靠的他們，後來不行了，但他們的威風至少還維持過幾十年。我在衡州練勇之初，曾希望湘軍不蹈八旗兵和綠營的覆轍，誰知打下江寧後就不能再用了，不得已十成裁去八成，留下水師這支軍隊，我寄予很大希望，願他們成爲抵禦外侮的柱石長城，不想它也不爭氣。」

彭玉麟、黃翼升一齊說：「是我們辜負厚望，沒有把水師整頓好。」

「這是氣數使然，不能怪你們。」曾國藩輕輕地緩慢地說著，心中似有滿腹苦惱要倒出來，但終於沒有吐出。「二位今夜來有何事？」

「滌丈，長江水師發現了哥老會。」

「水師也有哥老會！」曾國藩驚訝地打斷彭玉麟的話，他最擔心的就是此事，最怕的也是此事。申名標當年嘩變，險成大禍，就是有哥老會在暗中串通唆使。審訊中還得知哥老會組織嚴密，更令他又怒又懼，所以霆軍查出來的一百多個哥老會成員全被處以斬首。總以爲如此嚴厲的鎮壓，能收到斬草除根的效果，豈料它竟在水師中復出。

「黃軍門，你把詳細情況對滌丈談談。」

「前些日子瓜州總兵孫昌國在儀徵巡視。一天傍晚，他微服到附近村鎮散步，見一家小酒店坐著三個水師官兵，邊喝酒邊交頭接耳，行爲鬼祟。他於是也要了一杯酒，坐在一旁裝著喝酒的樣子仔細聽。說的什麼大半沒聽清楚，只聽到說申名標被殺，張文祥眼看要剮，我們袍哥又要倒楣了。還說我們袍哥殺不盡斬不絕，到時我們劫法場。孫昌國一聽，肯定他們是哥老會的，大怒，當時就派人將這三人抓了起來。一問，都是軍官，一個千總，一個把總，一個外委把總。」

「他們要劫法場？」曾國藩驚問，「要是劫殺張文祥的法場？」

「審訊他們時，他們先不承認，後熬不過棍棒承認了，是劫張文祥的法場。不過，他們又說喝醉了酒，胡說八道的。」黃翼升答。

彭玉麟說：「這是一件很大的事，它比歐陽平殺妻要嚴重得多，故特來稟報，請示如何處理。」

「這三個人呢？現關在哪裏？」

「關在瓜州總兵衙門。」黃翼升答。

「明天全部押到我這裏來，我要親自審訊！」

眞是山火未熄，宅火又起，而這把火燒的又是他一生心血經營的宅院。

這不是一般的案子，決不能張揚出去，曾國藩決定採取單個隔離的方式審訊。

先押進來的是一個把總，他的雙手被綁在背後，進門後低頭站著，面孔冷漠，一聲不吭。

「跪下！」一旁的戈什哈喝道，說著便是一腳掃去，那把總面朝地倒了下去，額頭磕在磚地上，發出沈重的響聲。戈什哈跨前一步，將他衣後領猛地一提，那人被抓了起來，木頭似地立著，面孔依舊漠然。戈什哈又猛地將他肩膀一壓，他身不由己地跪了下來。剛才戈什哈這一掃一抓一壓的三個連貫動作，便是淸末衙門通行的給犯人的見面禮。

「你叫什麼名字？」曾國藩板起臉，聲音暗啞，跟昔日聲震屋瓦的宏亮嗓音相比，已判若兩人。

「文兼武。」文把總瓮聲瓮氣地回答，像是不服氣。

「你是哥老會的？」曾國藩單刀直入。

「不是。」回答很乾脆。

「既不是哥老會的，爲何自稱袍哥？」曾國藩抓住要害逼問。

文兼武楞了一下，說：「弟兄們都是這麼互相稱呼的，大家都以爲這樣親切。」

「你認識申名標？」

「不認識。」

「認識張文祥？」

「也不認識。」

「那你爲何要劫法場？」曾國藩心想：莫非孫昌國眞的抓錯了人？

「卑職喝多了酒，說話失了分寸。弟兄們都對張文祥佩服，說他是條好漢。既然是好漢，就會有別的好漢劫法場。《水滸傳》裏講蔡九知府寃殺宋公明，便有梁山好漢來劫法場。」

「胡說八道！」曾國藩拍了一下案桌，「這張文祥是個死有餘辜的罪犯，你們爲何佩服他？」

文兼武並沒有被這一聲拍嚇倒，他稍停一會，居然回答說：「弟兄們一佩服他的膽量。想那馬制軍乃一品大員，八面威風，張文祥敢在校場之中，萬目之下公然行刺，這要多大的膽量才行！二佩服他一人做事一人當，既不逃命，又不牽連別人。這樣的好漢，當兵的誰不佩服？」

曾國藩爲官三十年，爲湘勇統帥十餘年，一個小小的犯罪把總，竟然敢在他的面前面不改色，從容辯解，這還是第一次遇到。他也不由得暗中佩服文兼武的膽量。「怪不得他口口聲聲稱讚張文祥，這小子看來也是一個不要命的。」他心裏想。

「帶下去！」曾國藩對著門口高喊。一個戈什哈進來，將文兼武押了下去。

第二個押上來的是千總任高升。他剛一邁進門檻，便雙膝跪地，痛哭流涕地高喊：「老中堂，你饒了我吧！我什麼都說出來，只求你不殺頭。」

「我不殺你，你說吧！」曾國藩鄙夷地望了他一眼，冷冷地說。

「老中堂說話算數？」任高升抹去眼淚問。

「你這是什麼意思！本督一生從不說假話。」曾國藩揚起頭，擺起大學士、總督大人的款式來。

「老中堂能給我寫個字據嗎？」任高升仰起臉，試探著問。

「這是一個老練油滑的兵痞！」曾國藩心想。他突然作色道：「你好大的狗膽，竟然敢要本督給你立字據。你不招供，本督不勉强，給我拉出去！」

立刻就有一個戈什哈橫眉冷眼地過來，抓起跪在地上的任高升就要往外拖。

「老中堂大人，卑職該死，卑職狗膽包天，求老中堂大人饒恕，卑職全都招供。」任高升死勁將頭向磚塊上磕去，磕得鮮血直流，高低不肯起身。

「好吧，你從實招來。」曾國藩揮手。戈什哈出去了，門被重新關上。

任高升用衣袖抹去滿臉的血淚，帶著哭腔說：「我們三人都參加了哥老會，我們那天喝多了酒，說的話都是放狗屁。說什麼劫法場之類，都是讓兩杯酒給灌暈了頭，互相吹牛皮逞好漢，其實都是假的。老中堂殺刺客，我們哪裏敢去劫法場。」

「你這個千總管多少人？」

「管兩百五十人。」

「有多少人參加了哥老會，你知道嗎？」

任高升想了想，說：「有五六十個人。」

曾國藩吃了一驚，二百五十人中就有五六十個，四成占一成，這還了得！如果每個營都這樣，二萬水師中不就有五千哥老會！

「你們與申名標有什麼聯繫？」

「我和申名標從前都是鮑提督手下慶字營的人，申名標當營官，我當哨官。霆軍中有一部分人是從四川來的，哥老會在四川很盛行。這些四川人有的早加入了哥老會，後來申名標也參加了。他有本事，大家推他為大哥，他把我也拉進去了。後來鬧餉，很多弟兄被殺，我和申名標等十幾個弟兄逃了出來。我無處謀生，就改了個名字投了水師。申名標後來上了天目山，在法華寺削了髮，以和尚的身分繼續哥老會的活動。一年之中，也要打發人與我們聯繫兩三次，還要我們動員弟兄們參加。前不久有個小兄弟偷偷對我說，申名標被人殺了，懷疑法華寺的哥老會破獲了，但爲何又只殺他一人，其他人都未動，弟兄們都很奇怪。」

「你認識張文祥嗎？」曾國藩問。

「不認識。」任高升搖搖頭。曾國藩疑惑了：這張文祥到底是不是哥老會的？若是，爲何任高升不認識他；若不是，他說的申名標在慶字營發展哥老會衆一事，又與任說相同。曾國藩搖搖頭，這裏面的事情眞太難思議了。

第三個押上來的是外委把總焦開積。曾國藩見此人長得有幾分清秀斯文，像是讀過書的樣子。焦開積進門後，在曾國藩面前跪下來，頭低著，只是不說話。

「來人！」曾國藩喊。戈什哈應聲而進。

「給他鬆綁。」

焦開積驚奇地抬起頭來。戈什哈拿刀將他手上的粗麻繩割斷。

「起來。」曾國藩語氣和緩地命令，指了指面前的條凳，「坐到那裏去。」

焦開積愈加驚奇，忙說：「卑職有罪，卑職不敢。」

「坐下！」曾國藩的語氣生硬起來，「坐下好好招供。」

焦開積只得遵命坐下。

「焦開積！」曾國藩以左目一線餘光，再一次將這個外委把總細細打量一番。焦開積挺拔瘦勁的身材使他滿意：是一個武官的料子！

「卑職在！」焦開積又站起。

「坐下吧！今年多大年紀了？娶妻了嗎？」曾國藩問，猶如一個和氣的長者在關懷著晚輩。

「回老中堂的話，卑職今年二十八歲，未曾娶妻。」焦開積坐在條凳上，音色宏亮地回答，他十分感激總督大人對他破格的以禮相待。進門之前，他知今番必死無疑，橫豎都是一死，不如死得英雄，絕不牽連別人。現在，他見曾國藩的態度完全不是他所設想的，他又改變了主意，不如乾脆把心中的話，趁此機會，向這位前湘軍統帥一吐爲快，倘若能得到他的諒解，也是爲弟兄們造一大福。

「聽你的口音，像是湖南人。」曾國藩問，臉上有一絲淺淺的笑容。

「卑職是道州人。」

「你讀過書嗎？」

「小時候讀過兩年私塾。」

「你既讀過私塾，當知你們道州出了一位很了不起的人物。」曾國藩說，猶如塾師在考問學生。

「大人說的是濂溪先生嗎？」焦開積對自己的回答沒有十分把握。

「正是。」曾國藩高興地說，「他寫過一篇有名的文章，叫做《愛蓮說》，你讀過嗎？」

「讀過。」焦開積輕鬆地回答。

《愛蓮說》稱讚蓮花出汚泥而不染，濯清漣而不妖，你理解這兩句話嗎？」曾國藩盯著這個年輕的外委把總，右手又習慣地梳理起白多黑少的長鬚。

「我記得小時候聽先生講過，這是蓮花的可貴品格，它生在汚泥之中而身骨清白，不受汚染。濂溪先生要世人都向蓮花這種品格學習，卑職自小起也知自愛。」

「好，知道就好。」曾國藩放下撫鬚的手，頭微微向前傾斜，問：「蓮花出汚泥而不受汚染，你身爲堂堂長江水師的軍官，身處淸白之地，爲何不自愛而要參加哥老會？本督見你略知詩書，是個人才，不忍心看著你自己毀了自己。你現在不要把本督看成上司，看成是在審判你的兩江總督，你把本督看作是你的叔伯，你的發蒙塾師，把你爲何要加入哥老會的想法都說出來，說得好，本督不治你的罪，還可免去你那些加入哥老會的袍哥們的罪，如何？」

焦開積聽了這番話，心中感到溫暖，對於坐在對面的這個大人物，焦開積只在同治元年剛投水師時，一次偶然的機會，在船上遠遠地見過。那時曾國藩駐節安慶，水師奉命東下打江寧，他親自到南門碼頭爲彭玉麟、楊岳斌送行。十八歲的焦開積當時不僅把曾國藩當成神靈，也把湘軍水師看成是了不起的英雄軍隊。焦開積認眞操練，奮勇打仗，頭腦靈活，又識得字，很快便由普通勇丁升爲什長、哨長，到了打下江寧時，他已是參將銜花翎即補游擊，奉旨以游擊不論推題、缺出先行補授。不久，湘軍大批裁減，陸師裁去十之八九，多少記名提督、記名總兵以及提督銜總兵銜、副將銜的人都裁撤回家當老百姓，湘軍一片混亂。水師還算好，只裁去十之二三，大部分都留了下來，後來又被朝廷列爲經制之師。水師定制一萬二千人，實際人數近二萬。官員有限，彭玉麟大銜借補小缺的主意恩准後，焦開積便以參將銜即補游擊授了個外委把總，雖然降了五級，還算是個幸運者，許多人都眼紅他。

在水師日久，焦開積逐漸看出，隨著戰功的擴大，水師內部日漸腐敗起來，軍營裏一切壞的習氣，水師不僅全兼足備，而且大有發展。當官的欺壓當兵的，强者凌辱弱者，比比皆是。當兵的最怕打仗輸了同伴不救援，綠營此風甚烈。曾國藩建湘軍之初，鑒於綠營這種惡習，曾以斬金松齡之首來力矯弊病。湘軍初建的那幾年，的確敗不相救的情形較少。尤其是水師，在彭、楊率領下，更注意互相幫助。到了咸豐末年，湘軍中這種好風氣已所存不多了，見死不救，臨陣各顧各則成爲普遍現象。這時，哥老會在湘軍中應運發展。剛開始時都是一些處於低下地位的勇丁參加，他們在營哨中拜把結兄弟，提出「有福同享，有禍同當」的口號，並以此作爲嚴格的會規。這種團結起來的力量維護了弱者的利益。尤其是在打仗時，凡是哥老會的人都結成一伙，勝則挽手向前，敗則抵死相救。

在一次戰鬥中，焦開積駕著一條小舢板衝進太平軍船隊，結果被團團包圍，眼看就要面臨滅頂之災。正在這時，他的一個朋友趕緊駕了一條舢板衝了進來，緊接著有十幾條舢板衝了進來，拼死拼命地把焦開積搶出。死裏逃生，焦開積分外感激那個朋友。朋友告訴他，是哥老會的袍哥們幫的忙。從那以後，焦開積參加了哥老會。在以後的戰鬥中，他靠著袍哥們的幫助，幾次逢凶化吉。哥老會的力量逐漸强大，當官的也必須依靠哥老會才能站得住腳，不少將領也入了會。後來湘軍陸師裁撤，不少袍哥在外流浪慣了，不願回原籍，便以哥老會爲組織，成團成伙地流落各地。在這種情勢下，水師裏的哥老會很快發展起來。大家說：「在江湖上混，朝廷靠不住，要靠我們自己捏合起來」。

曾國藩聽了焦開積這段陳述，心中甚是不快。哥老會在他親手創建的湘軍中活動如此猖獗，這是他所沒有料到的。

「焦開積，你剛才說也有不少軍官加入了哥老會，你聽說過最大的官職是多大？」

「老中堂，我也只是道聽途說，不一定準確，說出來你老莫見怪。」

「你說吧，不管是誰都不要緊。」

「我聽說哥老會後來在吉字營中人數最多，蕭孚泗、李臣典、朱南桂、熊登武等人都入過，只是瞞著九帥一人。」

曾國藩大吃一驚。蕭孚泗等人都參加過哥老會，這怎麼可能呢？見曾國藩滿臉驚愕懷疑，焦開積索性把這個秘密全部揭露：「老中堂，你可能還不知道，蕭軍門現在雖家居湘鄉，他手裏仍控制著幾千哥老會。袍哥們都說：國家多事，洋人强樑，皇上又年幼，老中堂又體弱，說不定不久天下又要大亂，那時還要我們哥老會出來收拾危局。」

「一派胡言亂語！」曾國藩罵道，不過聲音微弱，顯得有氣無力。

焦開積被戈什哈帶走了。曾國藩心裏有一種大不祥的預感：這些星散各地的湘軍舊部，很有可能會在某一天重新聚集在一起，昔日保護朝廷度過難關的功臣，將翻臉成爲反抗朝廷的叛逆！這是多麼可怕的事情。當然，曾國藩想，在他活著的時候，這種事情絕不會發生，只能在他的死後出現，但即使是死後，他也絕不能容忍。眞的發生那種事，他的子孫都會被斬盡殺絕，他和他的父、祖的墳墓都會被挖掘，屍體將會被鞭撻焚毀，一切稱頌他的文字都得改寫，他將永遠遭後世唾罵，遺臭萬年。而現在其人已衆多，其勢已漫延，既無法勸告他們改邪歸正，更不能公開鎮壓。「哎，這或許是氣數使然！」他重重地嘆了一口氣，重複這一句他近來常想起的話。

他草草結束這場對哥老會劫法場大案的審訊，並吩咐彭玉麟、黃翼升不要給他們任何處置，今後在水師中也不要再提起哥老會的事。

通過這次審訊，曾國藩愈加看出張文祥這個神秘人物的背景非比一般，必須從速判決，否則隨時都有不測之變發生。

欽差大臣鄭敦謹也從栖霞山回到江寧城內。這個以精於歧黃著稱的刑部尚書，歷官三十餘年，對世事人情的洞明毫不遜於他的醫術。他從慈禧太后並不急著催他出京，窺視出朝廷對此事的微妙態度，又從沿途以及到江寧後所聽到的各種傳聞中，隱約察覺到此案的複雜棘手。提審張文祥後，他一眼就看出刺客是個少見的頑梗之徒，此種人極不易對付。因此，他藉口病未痊愈，每天只在江寧藩司衙門讀書寫字，修身養性。關於馬案的一切，他都以曾國藩的意見為意見，用極為懇切謙虛的態度，將處理這樁奇案的擔子完全壓在曾國藩一人的肩上，為應付日後麻煩，狡猾地留下一條退路。

曾國藩對鄭敦謹的用心洞若觀火，但這對他有利。他開始構思結案的奏報。張文祥的供詞無疑不能上奏，涉及到馬新貽的言辭也須小心，至於勾通回部的傳聞，更是牽涉到朝廷大計，丁蕙蘅謀殺一說，又與丁日昌攪在一起。所有這些，都不能觸及一字，否則將貽患無窮。如何措詞呢？他親擬的奏章成百上千，唯獨這篇難以下手。

「大人，我和叔耘商量，決定把馬制軍這個案子查個水落石出。」吳汝綸推門進來，後面跟著薛福成。

「你們有新發現？」曾國藩問，並招呼他們坐下。

「沒有。」吳汝綸答。

「你們有什麼法子可以查個水落石出？」

「我們兩人想好了，決定微服私訪。」薛福成說。案子的重大，案情的迷朦，牽涉面的深廣，吸引著這兩個涉世不深又正直有事業心的熱血青年。他們極爲敬佩鐵面無私的包公，想學習他的品格，摹仿他的方式來偵破馬案，不管此案涉及到何人的頭上，哪怕眞的是醇郡王主謀也不在乎！

「大人，這個案子目前暴露的疑點很多，只要認眞查，自有下手之處。」心直口快的吳汝綸立即接話，「張文祥的『養兵千日，用在一朝』的話已說得很明白，他是受人指使的，而且此話已由魁將軍上奏太后、皇上，又公之於京報，普天下都知道。倘若這背後的指使者不查出，如何向世人作交代？」

曾國藩沉吟不語。這幾句話的確打中了要害，沒有查出幕後指派人，能叫結案嗎？

「卑職想，從現在所得到的線索來看，幕後的人不外乎這幾個。」吳汝綸扳起指頭數著，「浙江海盜龍啓雲，法華寺的和尙圓燈，丁中丞的公子丁蕙蘅。」

「還有，」薛福成補充，「京師的醇郡王！」

曾國藩微微一怔，隨即在心裏作出決定：必須制止他的荒唐之舉！

「不必你們再去微服私訪，馬制軍這個案子我已經查淸楚了。」曾國藩嚴肅地指出。

「查淸楚了？」吳汝綸驚奇地睁大眼睛。

「幕後指使者是誰？」薛福成忙問。

「指派張文祥謀刺馬穀山的人，就是十惡不赦的江洋大盜龍啓雲！」

「眞的是他？證據呢？」吳汝綸覺得奇怪，他以爲張文祥多半是丁蕙蘅重金買通的死士。

「還要什麼別的證據呢?證據就是張文祥自己的招供。」曾國藩顯然被這個問題問得不悅,他以斬釘截鐵的口氣公佈,「張文祥乃漏網長毛,與馬穀山既有前仇,又有新怨,復受海盜龍啓雲收買,遂以死行刺。案情就是這樣淸淸楚楚的,你們不必再節外生枝了。」

吳、薛二人掃興退出。房子裏,曾國藩倒大大地鬆了一口氣:剛才還遲疑不能落筆的奏報,被他們這麼一逼,不就逼出來了嗎?他很快草擬了一份奏稿,派人送給鄭敦謹過目。鄭敦謹看完後沒有改動一個字,當夜便送回來。第二天,這份奏章便以刑部尙書和兩江總督會銜的名義拜發。

半個月後上諭下達,張文祥凌遲處死。臨刑前,馬新貽的弟弟馬四買通劊子手,要他們在張文祥的身上割三百六十刀,才讓他斷氣。殺張文祥的那一天,圍觀的百姓達數萬之多,兩個劊子手像剮魚鱗似地從張文祥的全身取下一塊塊血淋淋的肉來,張文祥至死沒有哼過一聲。這眞是個天底下獨一無二的硬漢子!圍觀的百姓無一不在心裏爲之惋惜,發出讚嘆。劊子手行刑後,馬四又操起一把牛耳尖刀,劃開張文祥的胸膛,取出心臟來,在馬新貽的靈前祭奠。

馬四的這個舉動引起曾國藩的深思:馬家對張文祥有著深仇大恨,這幕後操縱者實際上並沒有查出來,倘若今後遇到什麼機會,馬家對此案提出疑問,那又多出一些麻煩。再說,馬新貽的先世也很可能是回民，目前陝甘新疆回民正在鬧事，如果讓他們抓住馬案做藉口要挾朝廷，於國家安定亦大不利，必須給馬新貽身後以破格之榮，方可堵住西北回民之口。曾國藩想到這裏，又給朝廷擬一奏稿，請贈馬新貽太子太保，予騎都尉兼雲騎尉世職，並請在原籍荷澤及江寧、安慶、杭州、海塘等立功之地建專祠。鄭敦謹照例同意，於是又會銜上報，朝廷一概照准。

有清一代空前絕後的謀刺總督案，就這樣宣告了結。

曾國藩

MEMO

曾國藩

MEMO

曾國藩

MEMO

國家預行編目

曾國藩黑雨／唐浩明著.--初版.--臺北縣中和市：
漢湘文化, 1993〔民 82〕
面；　公分.--（歷史經典；7-9）
ISBN　957-8753-16-0　（平裝）
857.7　　　　　　　　82002749

歷史經典八

曾國藩黑雨・卷二（全書三卷——血祭、野焚、黑雨）

發行人／胡明威
作　者／唐浩明
執行編輯／巫曉維
企劃印務／范揚松
行政祕書／余綺華　高姿伊
出版者／漢湘文化事業股份有限公司
台北縣中和市中山路二段三五〇號五樓
電話（02）22452239　傳真（02）22459154
E-mail:hanshian@mail.book4u.com.tw
郵撥帳號／1697754-9
户　名／漢湘文化事業股份有限公司
電腦排版／陽明電腦排版公司
內文製版／俊昇印製事業股份有限公司
內文印刷／全力印刷有限公司
裝　訂／吉翔裝訂印刷有限公司
電話（02）2962-7511
登記證／文聞・蔡兆誠・黃福雄・王玉楚律師
1993年9月初版一刷　2001年8月初版六刷
單本定價 160 元　套裝九本特價 1,250 元
本書透過中國湘普信息公司獲得國際中文繁體字版權

線上總代理◆華文網股份有限公司
網　址◆http://www.book4u.com.tw
〔紙本書平台〕華文網網路書店
〔電子書平台〕Online Books 電子書中心　華文電子書中心
香港總經銷◆漢鴻圖書有限公司
香港九龍塘觀開源道 55 號開聯工業中心 A 座 1226
電話：002-852-2343-8466　傳真：002-852-2343-8440

總經銷　　　　　　　　地址：台北縣中和市中山路二段 352 號 2F
旭昇圖書有限公司　　電話：（02）2245-1480　傳真（02）2245-1479

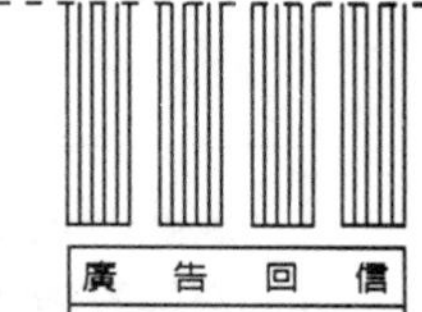

廣　告　回　信
北區郵政管理局登記證 北　台　字6571號
免　貼　郵　票

漢湘文化事業股份有限公司

地址：台北縣中和市中山路二段350號5樓
電話：（02）2245-2239
傳真：（02）2245-9154

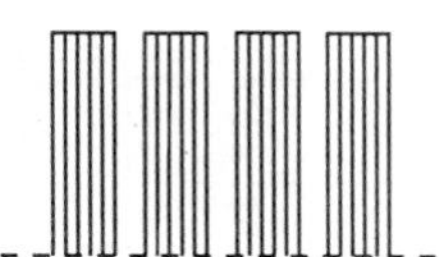

姓名：

性別：＿＿男　＿＿女

生日：＿＿年＿＿月＿＿日

電話：（　）＿＿＿＿＿＿

傳真：（　）＿＿＿＿＿＿

地址：＿＿＿＿＿＿＿＿＿＿＿＿

請沿虛線剪下裝訂，謝謝！

讀者服務卡

謝謝您購買這本書。
爲加強對讀者的服務，請您詳細塡寫本卡各欄，寄回給我們（免貼郵票），您即可收到本公司的出版訊息。

您購買的書名/ ______________________________

購買地點/ ______________ 縣市 ______________ 書店

教育程度/□高中以下（含高中） □大專 □大學 □研究所（含以上）

職　　業/ ______________ 職位別/ ______________

您目前迫切需要哪方面的知識？ ______________

您覺得本書封面及內文美工設計/

□很好 □好 □差 □很差

您對書籍的寫作是否有興趣？

□沒有 □有（我們會盡快與您聯絡）

100字書評（請寫下您閱讀本書的心得及感想）

其他建議（請列出本書的錯別字，當另外致贈精美禮品）：

請沿虛線剪下後對折裝訂寄回，謝謝！

閱讀新視界・生活新主張

漢湘文化